Wanderley Oliveira
pelo Espírito Ermance Dutaux

Série
Harmonia Interior

Diferenças não são Defeitos

a riqueza da diversidade nas relações humanas

Belo Horizonte | 2011

Wanderley Oliveira
pelo Espírito Ermance Dufaux

Série
Harmonia Interior

Diferenças não são Defeitos

a riqueza da diversidade nas relações humanas

Belo Horizonte | 2011

Diferenças não são Defeitos

Copyright © 2011 by
Wanderley Oliveira
Novembro/2020 | 100 exs

Dados Internacionais de Catalogação na Publicação (CIP Brasil)

Dufaux, Ermance (Espírito)

Diferenças não são defeitos:
a riqueza da diversidade nas relações humanas
Ermance Dufaux (Espírito);
psicografado por Wanderley Oliveira.
Dufaux: Belo Horizonte, MG, 2011.

280 pp. 16 x 23 cm

ISBN 978 85 63365 21 7

1. Espiritismo 2. Psicografia
I. Oliveira, Wanderley II. Ermance Dufaux (Espírito)
III. Título

CDD 133.9   CDU 133.9

Índices para catálogo sistemático
1. Espiritismo 133.9 2. Psicografia : Espiritismo 133.9

Editora Dufaux
R. Contria, 759 - Alto Barroca
30431-028 Belo Horizonte MG
(31) 3347 1531 www.editoradufaux.com.br
comunicacao@editoradufaux.com.br

O produto desta edição é destinado à manutenção das atividades da Sociedade Espírita Ermance Dufaux

Os direitos autorais desta obra foram cedidos pelo médium Wanderley Oliveira à Sociedade Espírita Ermance Dufaux (SEED). Todos os direitos reservados à Editora Dufaux. É proibida a sua reprodução parcial ou total através de qualquer forma, meio ou processo eletrônico, sem prévia e expressa autorização da Editora nos termos da Lei 9 610/98, que regulamenta os direitos de autor e conexos.

Adquira os exemplares originais da Dufaux, preservando assim os direitos autorais.

Impresso no Brasil   *Printed in Brazil*   Presita en Brazilo

Sumário

prefácio   17
Fraternidade: aplicação da misericórdia com os diferentes e suas diferenças

introdução   29
O poder da fraternidade

capítulo 1   39
Diferenças não são defeitos
A beleza da vida está no ato de todos serem diferentes e terem algo de novo a nos ensinar. Compete-nos nos abrir para esse mundo novo de vivências altruístas e alteritárias. É o desafio de conviver bem com a particularidade alheia, sem querer adaptá-la à nossa visão pessoal.

capítulo 2   47
Companheiros e amigos
De fato, os companheiros acreditam em nós, todavia, só os verdadeiros amigos nunca duvidam de nossas possibilidades e, para isso, estão sempre a ressaltar, incondicionalmente, a luz que existe em nós. São indulgentes, afáveis com nossas faltas e, se as apontam, é somente para nos ajudar a perceber como vencê-las.

capítulo 3   53
Fazer o nosso melhor sem perfeccionismo
Desiludamo-nos da ideia venenosa dos saltos evolutivos, que nada mais são que manifestações doentias do perfeccionismo. A convocação para os serviços do bem na seara espírita é um convite para o melhoramento progressivo, e não para a perfeição.

capítulo 4 61
Dramas ocultos, um novo conceito de responsabilidade social
Um novo e mais emergente conceito de responsabilidade social será necessário para corresponder aos tempos novos das sociedades. As dores imperceptíveis e ocultas causam mais destruição que aquelas que os olhos conseguem alcançar.

capítulo 5 67
O significado de suportarmos uns aos outros
E suportar significa, antes de tudo, ter a mente alerta para recordar sempre, na caminhada, que nenhum de nós, seja pelo argumento que for, detém autoridade ou direitos sobre o outro, e que a base de qualquer relacionamento sadio e libertador consiste em respeitarmos o livre-arbítrio uns dos outros em quaisquer circunstâncias.

capítulo 6 73
A importância do olhar
Para quem anseia por liberdade e leveza vibratória em torno de seus passos, não existe atitude mais apropriada do que extrair o lado melhor da vida, dos acontecimentos e do próximo, mantendo sempre o olhar na luz que clareia o raciocínio e sublima o sentimento.

capítulo 7 — 81
Solidariedade sempre, conquanto as diferenças

Se a fraternidade é o pulsar do coração no respeito incondicional às diferenças, a solidariedade é o abraço de amor aos diferentes na atitude concreta de amar.

A fraternidade movimenta as forças do afeto, enquanto a solidariedade é o exercício do amor criando o bem em qualquer circunstância.

capítulo 8 — 89
Líderes conscientes e educativos

Quaisquer direções que desejem integrar o quadro das características do mundo regenerativo, seja nos roteiros da espiritualização ou nos segmentos das conquistas sociais, terão de se matricular nos cursos educativos da vida de relações parceiras. Sem isso, não haverá liderança vitoriosa que conduza a novos tempos.

capítulo 9 — 97
Fraternidade aplicada perante os esforços alheios

Em qualquer circunstância, recordemos que melhor que convicções de ordem filosófica firmadas com o intuito de fidelidade e seriedade aos compromissos, zelemos pela fraternidade aplicada. Perante as tarefas alheias, recorda que os frutos falam da árvore.

capítulo 10 103
Modelos mentais de julgamentos
Exigimos excessivamente do outro porque não somos bondosos conosco. Quem não se ama, inevitavelmente projetará suas sombras na convivência, alimentando expectativas desconectadas da fraternidade. Nessa condição emocional surgirá a severidade em forma de intransigência e cobrança, criando decepção e mágoa.

capítulo 11 109
Inventário da ofensa
A dor extrema da ofensa é penosa demais para não abrigar um sentido divino e educativo para a alma. A mágoa é um sintoma denunciador de que algo necessita ser reorganizado na vida moral do ofendido. Quase sempre, esconde um ponto sombrio de difícil percepção sobre a nossa personalidade. Sondar sem temor o que existe nas suas raízes é medida sóbria e defensiva do crescimento e da harmonia espiritual.

capítulo 12 117
Conviver com diferenças e diferentes sem amar menos
Laços de confiança cultivados no tempo, ampliação de relacionamentos autênticos, trabalho renovador e estudo libertador são elos que guardam unidas as *varas do feixe*, promovendo os grupos doutrinários à condição de celeiros de amor.

capítulo 13 — 125
Singularidade humana e forças genésicas

Importante destacar que a prova só educará e será valorosa quando houver um processo consciente das necessidades pessoais de aperfeiçoamento. Do contrário, sem noções claras sobre o que se está aprendendo e desenvolvendo na vida afetiva, a criatura pode adotar posturas de grandeza espiritual, confundindo bloqueio expiatório com espiritualização.

capítulo 14 — 135
O amor nas relações não exclui o teste da ingratidão

A ingratidão como retribuição aos benefícios é aferição de dilatada exigência ao trabalhador espírita, a fim de aquilatar o aproveitamento dos discípulos nos testemunhos da abnegação e da humildade, do desapego e do amor incondicional.

capítulo 15 — 143
Ser espírita sem ser perfeccionista

Tenhamos em mente as diretrizes abençoadas da doutrina como metas existenciais para as quais destinaremos os melhores esforços, fazendo o nosso melhor. Mais que isso é exigência descabida de nossa velha neurose de perfeição.

Louvemos as metas de perfeição, mas sem perfeccionismo.

capítulo 16 — 151
A arte de aceitarmo-nos como somos

Analisar, compreender e agir construtivamente, eis a sequência de três atitudes que permitirão o encaminhamento adequado na vida interpessoal quando o assunto se refere às imperfeições alheias ou aos desagradáveis fatos do cotidiano, no intuito de desenvolvermos a arte de aceitarmo-nos uns aos outros como somos.

capítulo 17 — 163
Naturalidade: o movimento energético da regeneração

A rigidez, quando resulta de uma má elaboração do mundo emotivo, é exercida com arrogância. É o veneno da desumanidade lançado nas correntes vibratórias das relações humanas ou na relação consigo mesmo. É, sem dúvida, uma doença nos códigos da medicina espiritual classificada como doença mental crônica das reencarnações.

capítulo 18 — 171
Tempos de parceria e cooperação ativa na mediunidade

Esperam novidades e conteúdo espetacular, mas só se lembram dos autores espirituais quando pegam no lápis para escrever, levando uma vida distante dos propósitos superiores e destituída de valores que o credenciem a *contratos de parceria e assistência* com vistas a tarefas maiores.

capítulo 19 — 181
Apóstolos do espiritismo
Sem dúvida, as orientações do Mestre são claras. Cuidemos com muita atenção de nossas movimentações no bem da causa abençoada do espiritismo. Por conta de nossas mazelas milenares, é muito provável que alguns de nós assumamos a condição de supostos "apóstolos" do espiritismo sem nos fazer apóstolos de Jesus.

capítulo 20 — 189
Oração pelos desafetos
Visitamos, ocasionalmente, um núcleo de apoio, cuja devotada servidora, sob a tutela direta de Judas Iscariotes, coordena sublime tarefa de amor nesse sentido. Adquirindo extensa folha de habilidades no perdão e na arte de conviver, Amalia de Aragão, responsável pelo *Lar do Perdão*, trazia na alma sensível o halo energético do amor incondicional.

capítulo 21 — 197
Simplicidade, admirável virtude
As pessoas dotadas de simplicidade são solidárias, prestativas, disponíveis, aptas a servir, porque nada exigem intimamente que lhes impeça a prontidão espiritual, a disposição de ser útil.

capítulo 22 — 205
Um minuto de atenção: dose diária de amor
As pessoas não estão querendo muito nem precisam de muito; basta, quase sempre, um minuto de atenção. E que esse minuto seja usado para uma das ações mais terapêuticas do mundo moderno: levar o outro a sentir que ele pode ser útil e fazer algo de bom, mesmo como se encontra.

capítulo 23 — 215
A riqueza da diversidade nas relações humanas

Convivemos com quem precisamos e recebemos os diferentes e as diferenças que merecemos, segundo a lei de causa e efeito, sempre sob as augustas manifestações da misericórdia divina em favor do nosso aprendizado.

capítulo 24 — 225
Entrevista sobre naturalidade

Quem segue sua naturalidade é alguém com uma percepção real de si mesmo, aceita-se como é, com todas as suas qualidades e também imperfeições, mantendo uma fidelidade pacífica em sua vida interior em relação a seu modo de crescer em direção a Deus.

epílogo — 241
Como tratamos a rigidez no Hospital Esperança

Os rígidos pensam o mundo e a vida. Não percebem o quanto desrespeitam o outro por não aceitarem a diferença, e também se desrespeitam, ultrapassando todos os limites, cobrando excessivamente de si mesmos, em permanente conflito interior.

prefácio

Fraternidade: aplicação da misericórdia com os diferentes e suas diferenças

"E, respondendo João, disse: Mestre, vimos um que em teu nome expulsava os demônios, e lho proibimos, porque não te segue conosco. E Jesus lhes disse: Não o proibais, porque quem não é contra nós é por nós."
— LUCAS, 9:49 e 50

No alvorecer do século XXI, foi acelerada a nova Era.

Almas que foram pacientemente preparadas no mundo dos Espíritos regressam em larga escala ao corpo físico com objetivos transformadores, visando ao futuro. Novas ideias, novas posturas, nova forma de raciocinar e sentir.

Conquanto ainda sob a pressão de alguns traços morais do egoísmo, dos quais ainda não se livraram, tanto quanto nós, elas retornam nutridas e motivadas pela esperança de serem as cultoras dos novos tempos.

A Terra não tem referenciais similares até os dias de hoje sobre a natureza psicológica e cognitiva dessas almas. Logo nos primeiros anos de vida, demonstram uma incomparável capacidade de entendimento e, por isso mesmo, são diferentes no agir e no pensar.

Durante 100 anos, após o surgimento da doutrina espírita, por meio de uma organização jamais vista em todos os tempos, a campanha pela regeneração da Terra foi decisivamente deflagrada nas regiões superiores vinculadas às necessidades de nosso mundo de provas e expiações. Planos e metas, projetos e determinações foram exarados pelos condutores amoráveis e iluminados de nosso orbe. Psicólogos, servidores sociais, médicos, consultores, pensadores e toda uma multidão de homens e mulheres educados na arte de amar, nas suas mais diversas e amplas áreas de atuação, foram convocados a intenso, paciente e laborioso planejamento que envolveu todas as diversidades étnicas, religiosas e culturais da nossa humanidade.

WANDERLEY OLIVEIRA | ERMANCE DUFAUX

E, nos últimos 50 anos, tais aspirações organizadas pelo Mais Alto entraram em dinâmica e ativa operação, conduzindo multidões à reencarnação em todos os setores das atividades terrestres na condição de forças transformadoras culturais e morais. Colônias, cidades, postos de socorro, zonas de tratamento, hospitais e toda uma variedade de núcleos no mundo espiritual, sob intensa proteção e medidas das esferas mais elevadas, foram treinados para insculpir no campo mental dos reencarnantes os princípios da nova ordem de ideias e comportamentos do progresso do orbe.

A geração nova traz os germens daquilo que a humanidade anseia em todos os tempos. Fazem parte dessa planejada e larga campanha realizada em todas as comunidades da psicosfera terrena, almejando a maturidade dos habitantes do planeta em face do mundo de regeneração que nos espera logo mais.

Vivemos hoje, mais que nunca, os tempos de transição em que se misturam os caracteres de uma e outra geração.

O novo e o velho se confundem e se chocam, tendo em vista o estabelecimento da nova ordem do progresso inestancável. Nesse aparente turbilhão de desordem em que se encontram as sociedades terrenas, nasce uma nova civilização.

E neste cenário notam-se claramente como as chamadas "minorias" trazem um poder transformador e gerador de microtendências da humanidade. Sob essa perspectiva de céleres metamorfoses sociais, nem sempre o poder constituído representa a aspiração das massas, nem sempre experiência significa autoridade e nem sempre a tradição é sinônimo de rota segura em direção aos objetivos nobres a que todos somos convocados na escola da evolução humana.

Evidentemente, nem toda minoria atende aos imperativos sagrados dos tempos futuros, entretanto, observa-se claramente como esse movimento é poderoso quando traz em sua essência os elementos que constituem velhos clamores e necessidades da humanidade na rota evolutiva de sua história.

O surgimento de nichos específicos sinaliza que algo precisa ser repensado e aprimorado. Muitas minorias trazem em seu ideal o embrião de futuras conquistas da humanidade. Refletem, algumas delas, a força transformadora que carregaram para a vida física esses milhões de corações que tiveram seu campo mental devidamente aprimorado para talhar os comportamentos regenerativos.

Meditemos em alguns traços da nova geração:

- São idealistas com extrema necessidade de fazer parte de algo que tenha impacto na sociedade. Vivem o seu presente a partir de um futuro desejável.
- Querem ser ouvidos e recuam onde não haja espaço para o diálogo, rejeitando toda forma de autoritarismo e unanimidade. Louvam as comunidades e os grupos.

- Tem um conceito de trabalho com significado produtivo para melhorar o mundo, e não apenas para ganhar. Preferem fazer o que gostam.
- Priorizam qualidade de vida.
- Portadores de um nível de afetividade mais dilatado, expressam-na de forma muito particular e distante dos costumes tradicionais.
- São entusiastas do desenvolvimento pessoal.
- Guardam identidade com a espiritualidade, e não com religião, com a qual só se afinizam quando se abrem para promover um renascimento conceitual de seus princípios.
- São cultores da saúde e da beleza corporal.
- Sensíveis às questões do meio ambiente.
- São Espíritos cansados da intolerância, avessos à violência, à rigidez e a padrões e preconceito.
- Adoram ser diferentes, ser originais, ser particulares. Guardam profunda necessidade de realização de seu mapa pessoal, em contraposição com o que a sociedade espera deles.
- São arrebatados por tecnologia.

Deixemos claro que esses são apenas alguns pontos para meditação, nada mais que uma radiografia muito restrita da natureza e das características que compõem essa multidão de almas, que renascem com a mente sensível aos embriões de um mundo melhor, trazendo um mapa mental rico em elementos morais, culturais e espirituais.

Examinando com cuidado e visão social os pontos acima assinalados, encontraremos um leque de temas que fermentam o futuro regenerador da Humanidade, tendo como objetivo maior a formação para o sentimento do bem.

Conquanto ainda se trate de uma geração marcada pelo egoísmo, ela traz em seu comportamento e em sua forma de pensar os ingredientes renovadores que impulsionam e modelam novos hábitos, tendências e dimensões sociais na futura extinção do materialismo. Composta de Espíritos com crenças e costumes distintos, eles são os operários da era do progresso moral.

Acerca desses tempos novos, Allan Kardec, em *A gênese*, capítulo XVIII, item 17, assim expressou:

"A fraternidade será a pedra angular da nova ordem social; mas não há fraternidade real, sólida, efetiva, senão assente em base inabalável, e essa base é a fé, não a fé em tais ou tais dogmas particulares, que mudam com os tempos e os povos e que mutuamente se apedrejam, porquanto, anatematizando-se uns aos outros, alimentam o antagonismo, mas a fé nos princípios fundamentais que toda a gente pode aceitar e aceitará: *Deus, a alma, o futuro, o progresso individual indefinido, a perpetuidade das relações entre os seres*. Quando todos os homens estiverem convencidos de que Deus é o mesmo para todos; de que esse Deus, soberanamente justo e bom, nada de injusto pode querer; que não dele, porém dos homens vem o mal, todos se considerarão filhos do mesmo Pai e se estenderão as mãos uns aos outros."

> "Essa a fé que o espiritismo faculta e que doravante será o eixo em torno do qual girará o gênero humano, quaisquer que sejam os cultos e as crenças particulares."

A fraternidade como eixo de todas as diferenças, agregando os diferentes: que solução mais segura e promissora pode-se propor para curar o nosso egoísmo?

Para sermos fraternos, temos de renunciar aos pontos de vista em favor do entendimento, embora isso necessariamente não signifique que tenhamos de abdicar do que pensamos.

Para sermos fraternos, somos convocados a acreditar que cada nicho de força produtiva cumpre missões no atendimento a necessidades particulares.

Todavia, para que esses requisitos de fraternidade legítima façam parte de nossa vida emocional profunda e verdadeira, destaca Kardec, é necessária a fé. Eis o tema a que visamos na essência de nossas anotações nessa obra. Sobretudo, a fé que podemos depositar no amor ao nosso próximo, seja ele como for ou esteja ele como estiver. Fé na luz que está adormecida em cada ser humano e que, por mais distante se encontre dessa luz, ele continua sendo o filho de Deus. Eis a grande lição da fraternidade aplicada: acreditar mais uns nos outros.

A fé é o movimento sagrado da alma na expressão da luz interior, do Deus que habita em nós e que nos criou à Sua imagem e semelhança.

Encontrar essa força divina em nós será a única alternativa que nos resta para conseguirmos sentir fraternidade e nos libertar de raciocinar a fraternidade. E só quem sente é capaz de se contagiar com a essência renovadora da vida. Somente sentindo é que facilitamos o desenvolvimento de novas atitudes, edificando a compreensão de que diferenças não são defeitos, são apenas diferenças.

Escolhemos alguns temas que poderão ser úteis ao diálogo enobrecedor e ao estudo iluminativo, destinados a todos os que se afinizam com a aspiração a dias de mais paz e concórdia na Humanidade.

Temas que dizem respeito à nossa postura pessoal diante dessa aspiração e que poderão, também, colaborar com o período da maioridade das ideias espíritas na sociedade. São singelas sugestões para uma oportuna avaliação sobre nossas movimentações em torno do ideal espírita, a fim de refletirmos se nossas organizações se encontram identificadas com o futuro, se estamos acolhendo no hoje o futuro do espiritismo ou se estamos querendo transformar o espiritismo de hoje no futuro. Sugestões que destinamos ao mundo físico com total despretensão e com sincero desejo de que sejam aprimoradas por meio de diálogos sérios e desprovidos de paixão.

Para ideias novas, posturas novas. Do contrário, estaremos incorrendo na distraída ação de ansiar por mudanças sem ser a mudança em si mesmo, repetindo o velho alerta de Jesus, contido em Mateus, capítulo 9, versículo 17:

> "Nem se deita vinho novo em odres velhos; aliás, rompem-se os odres e entorna-se o vinho, e os odres estragam-se; mas deita-se vinho novo em odres novos, e assim ambos se conservam."

Nossa esperança é de contribuir com os anseios de quantos já se viram tocados pelo entusiasmo de se libertar das algemas da massificação alienadora, decidindo corajosamente assumir sua singularidade com nobreza de atitudes. Deitar vinho novo em odres novos.

Ao incentivar a alteridade, isto é, a particularidade que cada um é portador, tomamos a cautela de construir nossos textos, deixando claro que a ética da fraternidade é o eixo saudável para as diferenças e para a boa relação entre os diferentes.

Diferenças não são defeitos.

Nossa inspiração para compor as anotações veio de um dos mais magníficos exemplos de fraternidade com a diversidade e acolhimento das diferenças de nosso Mestre Jesus, quando os discípulos queriam conter pessoas que trabalhavam em seu nome, mas de forma diferente:

> "E, respondendo João, disse: Mestre, vimos um que em teu nome expulsava os demônios, e lho proibimos, porque não te segue conosco. E Jesus lhes disse: Não o proibais, porque quem não é contra nós é por nós."[1]

---

1. Lucas, 9:49 e 50.

Saúdo com alegria e fraternidade todos os povos na sua diversidade, abençôo com incondicional consideração todos os irmãos espíritas e deixo meu abraço afetuoso a todos os amigos e leitores.

Ermance Dufaux, 21 de janeiro de 2011[2]

---

2. Nota do médium: após a psicografia do prefácio, tomei conhecimento que o dia 21 de janeiro foi sancionado pelo Governo Federal como Dia Nacional do Combate à Intolerância Religiosa, assunto em plena identidade com as abordagens da autora nesta obra.

introdução

O poder da fraternidade

"E, chamando os seus doze discípulos, deu-lhes poder (...)"
— MATEUS, 10:1

Meus filhos,

Em meio ao vasto serviço pelo bem da Era Nova de Regeneração, a Lei Divina, por meio da consciência, sempre nos conduzirá a uma única proposta: o bem que temos feito por nossa própria redenção.

A maioridade das ideias espíritas acontece dentro de nós. O trabalho do Cristo tem de ser bom também para nós. A técnica que nos ensina a libertar o outro tem de se constituir em poder interior para nos fazer criaturas melhores, mais amáveis, mais serenas, mais saudáveis e que aprendam a se defender das insinuações do mal.

A maioridade espiritual não está fora de nós.

O trabalho e a ação são realizados em conjunto, todavia o calvário dos testemunhos e a absorção do aprendizado são pessoais e intransferíveis.

Como está nossa vida interior?

Nisso reside a força dos tempos novos para a maioridade sentida e aplicada: transportarmos em nós mesmos *o poder da fraternidade*. Os eflúvios da criatura fraterna são fortes apelos naturais para a transformação.

E, por caridade, não acreditem que fraternidade seja virtude de anjos! Fraternidade é o traço afetivo da maioridade e da paz entre os homens.

A humanidade, cansada e oprimida, necessita mais de fraternidade que de técnica.

Meus filhos, cuidemos para que o avanço por fora, por meio de obras perecíveis que o tempo vai renovar, não nos encarcere novamente nas ilusões. Quando julgamos ter avançado espiritualmente uns mais que os outros, estamos aceitando o convite do orgulho para superdimensionar o valor de nossa participação na Obra do Cristo.

A lição áurea é o amor.

Será que aprendemos a gostar uns dos outros? Como anda nosso sentimento em relação à diversidade humana? Amamos ou pensamos que amamos? Somos fraternos na prática ou temos a fraternidade como informação estéril? Estamos conseguindo manter bons pensamentos com quem não sintonizamos? Guardamos a boca iluminada mesmo com aqueles que foram descuidados conosco?

Imperioso descobrir as sombras da maldade que ainda estão no nosso coração e que foram produzidas por nossa própria caminhada tortuosa nas reencarnações. Técnica, inteligência, experiência, largueza de percepções, volume de informação, visão de futuro e bagagem vivencial são apenas credenciais para servir mais. Sem isso, as descobertas de fora podem se reduzir a confetes coloridos que serão varridos após a festa da vaidade.

A melhor religião de todos os tempos é o amor. O livro mais completo de redenção espiritual é o Evangelho.

Nenhum poder se compara ao do amor legítimo, esse sentimento que consegue brotar no charco de nossas imperfeições sem se misturar às impurezas de nosso lixo emocional.

Quem ama apoia. Quem ama, compreende os diferentes e aceita as diferenças. Quem ama traz no íntimo o poder de ser fraterno, e quem tem esse poder imuniza-se contra a mágoa, avança sem destacar os defeitos alheios, persegue o ideal de ser útil sem condições, compreende sempre as escolhas de outrem e consegue sorrir quando o agridem com os insultos da mentira. Acreditar que amamos não deixa de ser um passo importante, contudo, não nos dá direito algum de subestimar quem quer que seja em razão desta capacidade de amar.

O futuro regenerador do planeta não comporta a crueldade silenciosa da indiferença, a força destrutiva da antipatia camuflada e muito menos o amargor da rejeição envernizada. A convivência da regeneração é construída na luz da autenticidade, da parceria, da cooperação e do auxílio mútuo, e tais qualidades varrem para longe as enfermidades morais que geram conflitos e separatismo.

Abandonando a prepotência e a rigidez, tudo ficará mais leve, e leveza é também uma palavra no vocabulário dos tempos novos.

O poder conferido pelo Cristo aos seus discípulos, narrado no texto de Mateus, capacita-os a saber quem são verdadeiramente, a viver o doloroso processo da desilusão e a conhecer os reais potenciais que todos temos em nós por herança divina.

"Deu-lhes poder (...)"

Maioridade é poder para renunciar às ilusões de nossa personalidade, irradiar a serenidade no modo de ser, desapegar-se dos julgamentos sobre o próximo e, sobretudo, para ser o mensageiro da fraternidade, agregando em torno de nossos passos o clima da verdade e da vida, as essências espirituais fundamentais na arte de existir.

O Cristo exala virtude e magnetismo. Na sua presença todos se sentem compelidos a algo melhor e mais compensador. Ele tem uma força de atração e, por mais que desejem apagá-lo, mais ele transcende, mais luz projeta. Quanto mais o atacam, mais seu nome é lembrado.

A Obra é do Cristo. E pelo que saiba, até agora, Jesus não mandou "despedir" ninguém, conquanto as diferenças! Pelo contrário, não queiram saber quanta alegria existe nos Planos Maiores pela coragem daqueles que pegaram na enxada para arar o campo áspero e arredio, ainda que demonstrando dificuldades no manuseio da ferramenta, laborando muitas vezes de forma tão diferente!

Os recados que nos chegam desses Planos Superiores são cânticos de esperança em favor das lutas de todos nós. Autênticas súplicas de acolhimento e bondade conclamando todos à união e à aceitação sem limites.

Muitos chamados e poucos escolhidos. Abramo-nos para essa expressão da Misericórdia Celeste.

Há muita esperança nos céus em torno dos passos de todos os que se movimentam para acender um pequeno lampejo de luz na Humanidade.

Quanta treva a vencer! Diante disso, por que os embates dispensáveis por conta de uma singela forma de entender ou se comportar? Diante de tanta necessidade, por que arrolar deficiências no trabalho alheio, sendo que todos apenas estamos dando o que podemos? Se sabemos que o trabalho é repleto de imperfeições, por que tanto rigor com o irmão que busca oferecer algo ao bem da sua forma e do seu jeito? Qual de nós não terá o que corrigir nos serviços do bem? Portanto, qual a razão de tanta discórdia por bagatelas do modo de entender?

A quem interessa semelhante disputa ante tanto a ser feito?

Só mesmo a doença da pretensão pode articular tanto rigor e endurecimento na postura.

Os mensageiros do bem de Mais Alto são unânimes na expressão do sublime sentimento de incentivo a todas as realizações que se erguem em nome do bem, sejam elas ou não classificadas como espíritas ou quaisquer designações.

Diante da multidão faminta, Jesus indagou: "Quantos pães tendes?"[3]

Foi com as condições que lhe ofereceram que ele multiplicou fartamente o alimento em favor de todos.

Em um mundo de dor e fome da alma, qualquer migalha se torna uma fonte de nutrição e orientação nas mãos do Senhor.

Enquanto muitos procuram o mal por escolha, nós já começamos a sentir a necessidade do bem. Somos os obreiros ainda sem habilidade, porém dispostos a semear. Aproveitemo-nos mutuamente nos campos de serviço com coragem para superar nossos impulsos de inaceitação e ciúme ante as tarefas alheias.

---

3. Mateus, 15:34.

Vibremos com a alma pelos passos alheios. Não temos noção do esforço que tem custado para a maioria dos servidores manter-se no trabalho de sua melhoria e na ação em favor dos ideais espirituais.

Procuremos o lado melhor uns dos outros. Abundemos de misericórdia. Deixemos a fraternidade iluminar os nossos sentimentos. Que expressões mais nítidas poderíamos registrar para definir a maioridade espírita nas relações humanas?

As reflexões tecidas por Ermance Dufaux nesta obra são como rios de sabedoria e afeto conduzindo a correnteza do pensamento em direção ao mar do coração, onde verdadeiramente a fraternidade há de brotar. São páginas dirigidas ao sentimento, visando aos dias vindouros da regeneração na Terra.

Ave Cristo! Os que te amam assim te saúdam, Senhor!

Da servidora do Cristo e amante do bem,

Maria Modesto Cravo, 28 de fevereiro de 2011

capítulo

1

Diferenças
não são defeitos

"Sois chamados a estar em contato
com Espíritos de naturezas diferentes,
de caracteres opostos: não choqueis
a nenhum daqueles com quem estiverdes."
— UM ESPÍRITO PROTETOR (Bordéus, 1863)
(*O evangelho segundo o espiritismo*, cap. XVII, item 10)

A UNIDADE – ALMA DE DEUS NA SUA OBRA – É O SISTEMA regulador da ordem e da evolução, determinando a submissão da criação à Vontade Infalível, Soberana e Justa do Criador.

Unidade, porém, não deve ser confundida com igualdade de condições ou funções, mas de direitos. Ainda assim, os direitos que cada criatura herda do Pai estão submetidos aos Sábios Desígnios da Justiça, que disciplina o progresso evolutivo do ser.

O tronco divino das Leis Naturais cria a ordem e ramifica-se na diversidade por meio do direito humano de escolher seus caminhos. Alguns imperativos, porém, expressam com clareza indiscutível os estatutos a que todos renderão obediência. É assim que todos morrem, se reproduzem, melhoram, pensam, sentem, buscam Deus, retornam ao corpo físico...

Nessa colmeia galáctica, o amor é o fio condutor das diferenças humanas, sob a luz do qual todas as diferenças podem ser superadas, conquanto continuem a existir.

Somente a rebeldia dos homens destoa dos princípios divinos estabelecidos para a perfeição e a elevação. Optando pelos descaminhos do egoísmo, os filhos inconformados escravizaram-se ao reflexo da posse e do poder, pelos quais se instalou em seus campos mentais o doentio regime de competição oculta ou declarada. O propósito básico é a eliminação do outro, seja pela simples indiferença ou mesmo por mecanismos de crueldade. Eliminar as diferenças, quiçá os diferentes.

Domínio e acúmulo passaram a ser perseguidos como metas de felicidade. Diferenças e diferentes que criam obstáculos à consumação dos ideais materialistas são tomados a conta de oponentes, configurando nos milênios uma legítima realidade psíquica embasada em preconceitos e barreiras nos roteiros da vida relacional.

Indiferença significa negar a diferença, não dar importância aos diferentes. O momento, no entanto, chama-nos a ampliar conceitos e a aprofundar a meditação. A melhoria de nossas condições individuais apela para o melhor entrosamento com a diversidade. Buscar a essência de tudo e de todos na formação de uma mais ampla compreensão da vida que nos cerca. Cada criatura, cada acontecimento, cada singularidade, por mais que não desperte interesse ou atração em nossas almas, é um percurso Divino por onde transita o princípio de Soberania da Vontade de Deus.

O problema não são as diferenças, mas as barreiras imaginárias que geramos no campo dos sentimentos em relação ao que acreditamos ser conflituoso ou inconciliável. Fantasias que levam ao desamor – um resquício dos instintos primários.

Deus fez o homem à Sua imagem e semelhança, e não à Sua igualdade.

Como encontrar Deus sem aprendermos a legítima identificação com Sua Obra?

E na obra divina, o próximo é o excelso apelo do Pai concitando-nos a novos rumos em direção ao crescimento e maturidade.

Não existirá Mundo de Regeneração sem convivência pacífica e conhecimento profundo de si mesmo. Avançar no estudo das diferenças, com isenção de conceitos prévios, tentar identificar a mensagem do Pai nas diferenças e, quem sabe, algo aprender com os diferentes, eis o caminho de quem adentra os domínios da sabedoria em busca da alma da vida, na vitória sobre o egoísmo rumo ao porvir regenerativo.

A questão da superação das diferenças está em vencer a si mesmo, e não ao outro. Vencer nossas construções milenares de separatividade erguidas como muros de ignorância e atraso.

Saiamos da condição de querer reduzir o outro ao "mesmo", à igualdade que, em nossos arquivos mentais, não passa de uma caixinha de padrões transitórios e frágeis, aos quais nos apegamos como expressão da verdade pessoal.

A beleza da vida está no ato de todos serem diferentes e terem algo de novo a nos ensinar. Compete-nos nos abrir para esse mundo novo de vivências altruístas e ricas de diversidade. É o desafio de conviver bem com a particularidade alheia, sem querer, arrogantemente, adaptá-la à nossa visão pessoal.

O mundo, sem dúvida, será um lugar melhor quando prezarmos a diferença alheia como sendo o seu direito inalienável de ser. E mesmo que não concordemos com a singularidade do outro, cabe-nos, por Dever Universal, proceder no amor com inalterável respeito pelas diferenças, em qualquer tempo e lugar. Consolidando um exemplo de fraternidade em louvor à lei do bem.

"Sois chamados a estar em contato com Espíritos de naturezas diferentes, de caracteres opostos: não choqueis a nenhum daqueles com quem estiverdes."

Diferenças não são defeitos!

capítulo 2

Companheiros e amigos

"A indulgência jamais se ocupa com os maus atos de outrem, a menos que seja para prestar um serviço; mas, mesmo neste caso, tem o cuidado de os atenuar tanto quanto possível."
— JOSÉ, ESPÍRITO PROTETOR (Bordéus, 1863)
(*O evangelho segundo o espiritismo*, cap. X, item 16)

Os companheiros fazem companhia.
Os amigos atraem companhia.
Os companheiros são afeto circunstancial.
Os amigos são circunstâncias para o afeto.
Os companheiros percebem as batalhas.
Os amigos são arrimo para a luta.
Os companheiros lamentam nossa dor.
Os amigos enxugam nossas lágrimas.
Os companheiros surgem e passam.
Os amigos deixam saudades.
Os companheiros esforçam-se por entreter melhores sentimentos na rotina dos relacionamentos.
Os amigos espargem, espontaneamente, amor na convivência.
Os companheiros são gentis e cordatos.
Os amigos são sinceros e caridosos.
Os companheiros trazem uma mensagem de alegria.
Os amigos são a mensagem de apoio e rota para a felicidade.
Os companheiros gostam.
Os amigos amam.

É certo que o limite entre os bons companheiros e os amigos é delicado e sutil.

Companheiros são os que partilham algumas vivências. Com os amigos construímos nossas vivências!

Temos companheiros que se elevam à condição de amizades valorosas; tanto um como outro são, na verdade, papéis da vida afetiva que guardam proporção e intensidade diversas na pluralidade das relações. Entretanto, um ponto singular demarca o limite entre ambos, deixando entrever quem, de fato, faz-se companheiro ou amigo nos destinos de cada dia: o amigo é aquele que nunca agasalha a dúvida; o companheiro, por sua postura de reserva que ainda não consegue superar, em muitos lances da convivência, ainda se permite tecer o manto da desconfiança, não sabendo até quando ou quanto poderá acreditar no que pensamos, fazemos e sentimos. Já o amigo é celeiro inesgotável de fé, com extensas sobras de crença em nós, às quais devemos retribuir com fidelidade, apoio e respeito, sem resvalar para a conveniência ou a proximidade abusiva.

De fato, os companheiros acreditam em nós, todavia só os verdadeiros amigos nunca duvidam de nossas possibilidades e, para isso, estão sempre a ressaltar, incondicionalmente, a luz que existe em nós. São indulgentes, afáveis com nossas faltas e, se as apontam, é somente para nos ajudar a perceber como vencê-las.

Os companheiros também são indulgentes, mas os amigos carregam o dom de tocar nossas feridas e nos fazer sentir que podemos nos curar. Como assevera José, o Espírito protetor:

> "A indulgência jamais se ocupa com os maus atos de outrem, a menos que seja para prestar um serviço; mas, mesmo neste caso, tem o cuidado de os atenuar tanto quanto possível."

capítulo

3

Fazer o nosso melhor sem perfeccionismo

"Reconhece-se o verdadeiro espírita pela sua transformação moral e pelos esforços que emprega para domar suas inclinações más."
(*O evangelho segundo espiritismo*, cap. XVII, item 4)

Notável médium espírita asseverou, certa ocasião, que se Allan Kardec criou a expressão *bons espíritas*[4] é porque, evidentemente, existem os "maus espíritas".

Ampliando esse enunciado, o codificador classificou os espíritas em experimentadores, imperfeitos e destacou que os verdadeiros seriam os espíritas cristãos.[5]

Espiritismo é proposta de renovação e vida. Apesar disso, a mente humana, afeiçoada ainda aos "negócios divinos", procura os templos espíritas ávida por facilidades de toda espécie, no imediatismo que lhe assinala o estágio moral.

Curas e soluções são procuradas aos montes, nutrindo infantil atitude milagreira.

O compromisso de transformação pessoal raramente é adotado pelos aflitos e interessados que recorrem aos serviços do Centro Espírita.

Recheados de concepções místicas e dogmáticas, anseiam por fenômenos instantâneos com os quais aguardam as vantagens pessoais. Situam-se na periferia, esperando tudo sem nada fazer.

Essa etapa inicial, dependendo da maturidade moral, poderá se prolongar indefinidamente, sem maiores voos de elevação e crescimento individual.

Noutra fase, os conteúdos doutrinários penetram a mente e o coração do discípulo, impregnando-o de novas aspirações. É quando, então, alcança a etapa mais valorosa,

---

4. *O evangelho segundo o espiritismo*, cap. xvii, item 3.
5. *O livro dos médiuns*, item 28.

em que a renovação interior se expande em atitudes benéficas aos seus ambientes de ação na rotina diária. É o espiritismo irradiando de dentro para fora, gerando mudança e melhoria.

Feliz definição de Kardec. De forma didática e com incomparável visão filosófica, deixou dois critérios cristalinos de reconhecimento dos bons espíritas, a saber:

- Pela sua transformação moral.
- Pelos esforços que emprega no domínio das más tendências.

Costumeiramente, alimenta-se a expectativa de encontrar nos adeptos da doutrina somente amigos transformados e santificados na conduta, desenvolvendo campo para a decepção e as noções de superioridade que, por agora, ainda não possuímos. Esse critério, inegavelmente, é desejável como meta existencial, entretanto, retifiquemos as ideias ampliando o entendimento para o outro critério de definição dos bons espíritas: o esforço.

Se guardarmos a consciência tranquila de que temos realizado o que podemos nesse terreno da melhoria por meio da educação de nossas personalidades, então estamos trabalhando na intimidade da alma para que o homem renovado seja logo uma expressão de todas as nossas ações e reações na conquista de nossas particularidades eternas.

Que essa reflexão nos sirva para repensar a costumeira fala que denota desajuste e ausência de definição nos propósitos novos, quando se alega "estar tentando ser espírita". O verbo "tentar" sugere uma possibilidade remota; na verdade, em muitas ocasiões, uma desculpa que damos a nós mesmos por sabermos que por várias vezes temos sido infiéis aos ideais. Tentando, nesse caso, é o gerúndio que não define nada quanto ao presente e ao futuro.

Quando dizemos "sou espírita", assumimos a postura psicológica que nos ensejará o referencial mais definido para uma autoavaliação e um clima de pacificação que ameniza nossos conflitos com o assunto. Dizer-se espírita é conduta de responsabilidade e compromisso, enquanto o "tentando" é um resquício reavivado com base no engenhoso atavismo que nos afastou da verdade e do bem por milênios, quando nos definíamos como "religioso não praticante".

Desiludamo-nos da ideia venenosa dos saltos evolutivos, que nada mais são que manifestações doentias do perfeccionismo. A convocação para os serviços do bem é um convite para o melhoramento progressivo, e não para a perfeição.

Fazer o nosso melhor a cada dia, nos perdoando por aquilo que ainda não damos conta de ser e fazer, e recomeçar quantas vezes se fizerem necessárias são as diretrizes de equilíbrio para o grande e sublime propósito da transformação interior.

Recomendável, nesse sentido, que as definições sobre o verdadeiro espírita sejam uma meta, uma aspiração à qual estaremos oferecendo nossa melhor contribuição, e não mais um dogma usado para aumentar a culpa e a insatisfação com nossos esforços.

apítulo

4

Dramas ocultos, um novo conceito de responsabilidade social

"Esses infortúnios discretos e ocultos são os que a verdadeira generosidade sabe descobrir, sem esperar que peçam assistência."
(*O evangelho segundo o espiritismo*, cap. XIII, item 4)

Os serviços de assistência solidária são canais de alívio e misericórdia perante as dores e os testemunhos das calamidades sociais. Muitos buscam a sopa e o remédio nos encontros socorristas, outros solicitam agasalho e alimento. A caridade material em um mundo de provas e expiações é bênção de amor e solidariedade que anima e conforta.

Surgem, também, as calamidades ocultas. Aquelas que não são ditas e ninguém vê. Outro gênero de fome e doença. Calamidades que raramente ganham destaque em razão da complexidade de sua realidade.

Suicidas potenciais; deprimidos arredios; pais fragilizados ante o peso dos deveres em família; filhos prestes a se consorciar com os portais das sombras morais; juízes dolorosamente atormentados pela culpa de sentenças interesseiras; políticos à beira de vender sua honra; mulheres enredadas em lamentável amargura pela ausência de afeto correspondido; homens vilipendiados pela tortura dos pensamentos ante as fantasias libidinosas; corações partidos pela dor da separação de qualquer natureza; pessoas que desistiram de lutar e progredir, escravas de obsessões de amplo leque; patrões materialistas dispostos a encetar golpes lesivos; empregados revoltados a ponto de estabelecerem demandas injustas; jovens desorientados quase se rendendo ao encontro macabro com as drogas; crianças lesadas no amor pela ausência do carinho; idosos arrependidos que não se perdoam.

São essas e muitas outras calamidades sutis que atormentam mentes e enfraquecem corações. Fomes e doenças que exigem medidas de auxílio mais conscientes e devotadas.

Nossas instituições de amor têm um desafio pela frente: uma campanha para que a caridade, que tanto estimulamos, possa, igualmente, beneficiar esses dramas ocultos da alma.

Para isso, nos preparemos por meio da autorrenovação, do estudo e da disposição sincera de servir e amar sem condições. Abramos espaços largos para o socorro fraterno a quantos recorrerem em busca de orientação e consolo, e dessa forma estaremos espalhando a bênção da misericórdia e da bondade.

Entretanto, saibamos usar de discernimento e altruísmo, empatia e abnegação para aprender a descobrir qual é a verdadeira calamidade que atinge a quantos nos pedem "pão e água".

Um novo e mais emergente conceito de responsabilidade social será necessário para corresponder aos tempos novos das sociedades. As dores imperceptíveis e ocultas causam mais destruição que aquelas que os olhos conseguem alcançar.

Jesus, Expressão Sublime da Generosidade, em meio à multidão atormentada, indagou: "Quem tocou nas minhas vestes?"[6] Uma mulher sofrida e virtuosa, que guardava em

---

6. Marcos, 5:30.

silêncio as provas dilacerantes, manifestou a verdade sobre sua dor e o Mestre a curou.

No burburinho da massa, nos sorrisos enfeitados da falsa alegria e nas passarelas do realce humano há muita fragilidade e sofrimento à espera da nossa sensibilidade. Em muitos casos, basta dizer, de alguma forma: conte comigo!

capítulo

5

O significado de suportarmos uns aos outros

"A caridade moral consiste em se suportarem umas às outras as criaturas, e é o que menos fazeis nesse mundo inferior, onde vos achais, por agora, encarnados."
(*O evangelho segundo o espiritismo*, cap. XIII, item 4)

Eis alguns conceitos sobre convivência no dicionário da alma:

- Relações sem limites: perturbação a caminho.
- Adultério: traição a si mesmo.
- Controle: espessa armadura do egoísmo.
- Possessividade: uma relação edificada sobre a areia.
- Mágoas: quase sempre expectativas não alcançadas.
- Intimidade mal conduzida: zona de risco.
- Dependência: apelo de socorro por segurança e amor.
- Perante falatórios: oração, silêncio e trabalho.
- Encontros: ninguém cruza nosso caminho ao acaso.
- Desencontros: forma dolorosa de aprender uma lição negligenciada.
- Antipatia: um convite de superação.
- Confiança: troféu das amizades autênticas.
- Simpatia: um convite à disciplina.
- Equipe: mais chances de realização.
- Julgamento: atitude de paralisar os conceitos sobre o próximo.
- Um costume valoroso: destacar as qualidades uns dos outros.
- Um princípio fundamental: não conseguiremos agradar a todos.
- Amigos verdadeiros: aceitam, incondicionalmente, nossas faltas, corrigindo-nos com amor.
- Imperfeições alheias: espelhos das semelhanças que transportamos.

- Familiares: as mais límpidas imagens de nós mesmos.
- Filhos: estímulos contra acomodação.
- Atividades para o bem alheio: promoção espiritual quando descobrimos os benefícios para nós mesmos.
- Colegas de trabalho: indicativas precisas de aprimoramento.
- Companheiro de doutrina: enfermo que trabalha por sua alta médica tanto quanto nós.
- Perspicácia: uma qualidade que nos coloca a um passo da prepotência.
- Cordialidade: o conjunto de hábitos que dão encanto às relações.
- A atração deve ser vivida com moralidade.
- Autonomia é a principal característica dos relacionamentos maduros.
- Diferenças não são defeitos.
- Saber ouvir: base da boa comunicação nas relações.
- Peça sempre desculpas quando errar.
- Carências podem ser mais bem resolvidas amando, em vez de ser amado.
- Não prejudicamos alguém sem nos prejudicar.
- O olhar revela sentimentos que queremos esconder até de nós mesmos.
- A tolerância nas relações, para ser educativa, solicita proatividade.
- Cobrança: o imposto do egoísmo gerando trágica inadimplência.
- Fazer os outros felizes: nisto está o êxito das relações.

▸ Liberdade na vida de relação: para fazer o que devemos, e não só o que queremos.
▸ Afinidades são construídas, não surgem sem o esforço de tecer a confiança.
▸ Vençamos a tendência de nos afastar de quem não nos agrada.

Tais conceitos libertadores do bem só poderão iluminar nossa convivência se soubermos suportar uns aos outros em nossas faltas.

E suportar significa, antes de tudo, ter a mente alerta para recordar sempre, na caminhada, que nenhum de nós, seja pelo argumento que for, detém autoridade ou direitos sobre o outro, e que a base de qualquer relacionamento sadio e libertador consiste em respeitarmos o livre-arbítrio uns dos outros em quaisquer circunstâncias.

capítulo

6

A importância do olhar

"O verdadeiro caráter da caridade é a modéstia e a humildade, que consistem em ver cada um, apenas superficialmente, os defeitos de outrem e esforçar-se por fazer que prevaleça o que há nele de bom e virtuoso, porquanto, embora o coração humano seja um abismo de corrupção, sempre há, nalgumas de suas dobras mais ocultas, o gérmen de bons sentimentos, centelha vivaz da essência espiritual."
— DUFÊTRE, BISPO DE NEVERS (Bordéus)
(*O evangelho segundo o espiritismo*, cap. X, item 18)

Abraço, afago, carinho, beijo, sorriso, palmas, sexualidade, aperto de mãos, acenos, braços entrelaçados – expressões corporais de afeto.

Depois da sexualidade, o olhar é o instrumento de comunicação corporal mais poderoso que temos. É a tela que se estampa na face dinamizando a linguagem vibratória dos sentimentos.

Jesus já ressaltava:

> "A candeia do corpo são os olhos; de sorte que, se os teus olhos forem bons, todo o teu corpo terá luz".[7]

Pelo olhar expressamos os mais secretos sentimentos da alma, até mesmo aqueles que queremos esconder de nós próprios. O dominador, hábil leitor das emoções através do olhar, sabe bem o que isso significa.

Força ativa de propulsão e despertamento da atração, antena emissora e receptora das emoções, os olhares são como espelhos daquilo que sentimos. Mesmo havendo desenvolvido o hábito de disfarçar o olhar, na tentativa de esconder do outro o que realmente se sente, é preciso que o homem encarnado se conscientize de que a vibração energética daí decorrente não consegue se ocultar de ninguém. Deixamos sempre os ambientes impregnados do que cultivamos no coração, provocando encontros e

---

7. Mateus, 6:22.

reencontros orquestrados por leis magnéticas determinantes e ainda pouco conhecidas.

"Teus olhos são a candeia do corpo", disse Jesus na sua sabedoria profunda, acrescendo que, se tiverem luz, todo o teu corpo irradiará em luminosidade.

A visão é o sentido físico que mais processa informações para o cérebro. Estima-se que nove décimos dos estímulos captados do exterior sejam veiculados pelos olhos, enquanto um décimo seria dividido entre os outros quatro sentidos.

Uma cor, um movimento, uma paisagem, uma frase, um minúsculo episódio, tudo isso captado pela visão pode alterar o campo psíquico e emocional com mudanças instantâneas.

A forma como vemos a vida, as pessoas e tudo o que acontece à nossa volta tem decisivo valor sobre o mundo íntimo, no que diz respeito a mantê-lo afinado ou desafinado com as propostas de crescimento e libertação espiritual.

Sabendo disso, vigiemos e estudemos com atenção os olhares, sobretudo aqueles que lançamos uns sobre os outros na vida interpessoal. Cuidemos de estabelecer uma análise rigorosa e sem temores sobre os sentimentos movimentados em nosso íntimo ante as estimulações provocadas pela presença alheia em nossa vida.

O que sentimos sobre o que vemos é aquilo que, de fato, somos. O olhar para fora nos revela o mundo inconsciente desconhecido de nós mesmos, razão pela qual se torna fonte fecunda de autoconhecimento.

Os olhares, em todos os tempos, têm sido os canais de comunicação dos sentimentos, formando os climas psíquicos das relações humanas, construindo a felicidade ou a derrocada moral.

Existem olhares de interesse, lascívia, censura, aprovação, desdém, repulsa, carinho, doçura, energia, autoridade, paixão, tristeza, paz e alegria. Existem olhares de domínio, que hipnotizam e fazem sofrer; e olhares de elevação, que libertam e dulcificam.

Aprendamos a sondar nossa vida afetiva pela visão espiritual, habilitando-nos à leitura do magnetismo visual, e utilizemos esse recurso potencial em favor de nossa melhoria na educação afetiva a que nos propomos à luz das diretrizes do amor.

Que os nossos olhos sejam sempre uma fonte viva na estimulação dos mais elevados sentimentos com quantos venhamos a conviver, refletindo nas atitudes o espírito do bem em nossas vidas.

Para quem anseia por liberdade e leveza em torno de seus passos, não existe atitude mais apropriada do que extrair o lado melhor da vida, dos acontecimentos e do próximo, mantendo sempre o olhar na luz que clareia o raciocínio e sublima o sentimento.

Como ensina o bispo de Nevers:

"embora o coração humano seja um abismo de corrupção, sempre há, nalgumas de suas dobras mais ocultas, o gérmen de bons sentimentos, centelha vivaz da essência espiritual".

capítulo 7

Solidariedade sempre, conquanto as diferenças

"Em todas as frontes, vê-se escrita a palavra amor; perfeita equidade preside as relações sociais, todos reconhecem Deus e tentam caminhar para Ele, cumprindo-lhe as leis."
(*O evangelho segundo o espiritismo*, cap. III, item 17)

A SOLIDARIEDADE É PRINCÍPIO UNIVERSAL DE PERMUTA DE recursos para o progresso e a vida.

Definida socialmente como o movimento de apoio à dor alheia, a solidariedade é comumente reconhecida na perspectiva de doação de bens materiais e socorro ante momentos de comoção coletiva.

Consideremo-la, porém, um pouco além, na sua feição relacional, de coração a coração, em atitude de interação nas relações humanas na busca por superar barreiras para o exercício do amor.

Solidariedade é um processo de permuta no qual quem tem oferece, quem precisa recebe, mas ambos, doador e receptor, reconhecem-se como que dentro de um campo de completude, sem que tais papéis não definam superioridade ou inferioridade de quem quer que seja. É o movimento de trocas incessantes que enseja constante crescimento regulado pelo diferencial da fraternidade. Havendo o clima fraterno, surge nivelamento com o desejo de aprender e crescer sem que o orgulho permeie a relação, gerando os pedestais de pretensa sabedoria e elevação e estabelecendo desnivelamento improdutivo e, por sua vez, acomodação de um lado e desvalor de outro.

Nesse intercâmbio solidário, as diferenças de experiência, maturidade, entendimento, que alicerçam a formação de segmentos sociais, encontram um campo propício para a aprendizagem, rompendo com a intolerância infrutífera e a exclusão impiedosa.

Fraternidade, sentimento. Solidariedade, ação.

Se a fraternidade é o pulsar do coração no respeito incondicional às diferenças, a solidariedade é o abraço de amor aos diferentes na atitude concreta de amar.

A fraternidade movimenta as forças do afeto, enquanto a solidariedade é o exercício do amor criando o bem em qualquer circunstância.

As relações interpessoais, para ser gratificantes, clamam por solidariedade.

A educação tem adotado metodologias de ensino espelhadas na relação solidária, situando educador e educando em áreas e planos de crescimento mútuo, diluindo os obsoletos papéis de autoritarismo e distanciamento da didática escolar formal e mecanicista. O ambiente empresarial, igualmente, vem absorvendo a ideia de equipe, na qual um se torna parceiro do outro para o desenvolvimento de todos. A humanidade vem caminhando para fazer da solidariedade o princípio essencial das sociedades progressistas, concebendo um modelo de relações sistêmicas no qual o crescimento dos mais aptos passa pela necessidade de convivência com os menos habilidosos; os mais ricos passam a equilibrar seus recursos para abarcar os menos favorecidos no serviço de promoção; os mais sábios, para ampliar suas conquistas, estarão a serviço dos que anseiam pelo conhecimento.

As diferenças religiosas, sociais e étnicas submetidas ao Divino princípio da solidariedade tomam significados, essencialmente, novos e estimuladores. A diferença do outro passa a ser contemplada como "qualidade do que ele é", abstraindo nosso velho e infeliz hábito da exclusão, porque costumamos entender a diferença do outro como imperfeição, atraso, problema.

Diferenças são qualidades, e não defeitos. E só a fraternidade no coração pode nos fazer sentir assim, e só a solidariedade nos gestos pode provar que sentimos assim.

Definindo um novo campo para nossos interesses mais profundos, deslocando-o para a vida espiritual, a doutrina espírita contribui para o progresso do homem por esclarecê-lo sobre os motivos de sua estadia na Terra e o que o espera depois, além-túmulo. Assim sendo, amplia as noções de segurança, saúde e felicidade, levando-o a repensar sua conduta, suas metas, suas relações, ciente de que amanhã aquele a quem desprezou poderá ser-lhe tutor e mestre.

Com essa visão sistêmica, contida nas Leis Morais do espiritismo, o ecossistema humano fica regido pela capacidade intelecto-moral, destituindo o modelo de superioridade e dignidade construído pelos padrões sócio-históricos que privilegiam, muitas vezes, a imoralidade e a incompetência com os instrumentos do institucionalismo na gestão de sublimes valores coletivos que, se bem aplicados, gerariam paz e justiça para sociedades inteiras.

Essa mesma análise conjuntural da sociedade humana pode ser projetada para a comunidade doutrinária, servindo de piso para muitas meditações.

Quantas diferenças têm se notabilizado na comunidade espírita e sido acolhidas com indiferença, desprestígio, intolerância e estigma? Como vemos a diferença do outro?

Quantos livres-pensadores têm sido apedrejados pelo desejo de domínio, ferindo de morte o clima da concórdia? Quantos valorosos servidores se alojaram na escuridão da fuga ante a força das pressões contrárias a seus planos criativos de trabalho, considerados como obsessões sem mescla ou atitudes anárquicas? Quantos, tomados de ciúme e receio de ter de dividir com outros seus pedestais de orgulho do saber, desestimularam ideias e projetos, a pretexto de zelo e vigilância, induzindo aprendizes animosos aos campos de acomodação? Quantos, sob o peso das responsabilidades institucionais, iludem-se com o fascínio dos títulos para endossar ideias personalistas e desafinadas dos propósitos comunitários das sociedades espíritas? Tem havido moralidade e competência para a direção consciente e progressista? Estaremos gerando relações solidárias acima das relações autoritárias? Será que, pelo menos, estamos dispostos a isso? Estamos abertos a uma nova era de divulgação doutrinária participativa-promocional e dialógica, ou ainda estamos elegendo as posturas professorais-definitivas e fechadas para os estabelecimentos de ensino espírita?

Tudo nessas questões passa pela solidariedade fraternal. Lamentavelmente, em muitas ocasiões, a tradição histórica tem servido para endossar o individualismo, a presunção e a arrogância.

Diferenças! Ai de nós, os espíritas, se não começarmos a pensá-las logo com virtude e visão pedagógica. O que aprenderíamos pensando igual?

Repetindo antigos erros, para defender a pureza dos princípios, anulamos o próximo que esteja em diferença. Até quando estimaremos o conceito de espíritas pela padronização de crenças e práticas em detrimento do espírita que deve ser reconhecido, como assinalou Allan Kardec, por um proceder responsável, consciente?

Igualdade na atitude: esse o ideal a perseguir!

No entanto, pensemos diferentemente e louvemos a alteridade!

O único princípio capaz de ensejar equilíbrio ao processo de diversidade da comunidade espírita é a solidariedade compreendida como ética comunicativa entre pessoas. Dentro dessa visão nada é paralelo ou confrontador ao sistema cuja maioria aderiu.

Essa ética comunicativa tem como instrumento dois pontos de prioridade para conduzir a relações compensativas e de primor educativo, tais pontos são o diálogo e a parceria. Conduzamos nossos raciocínios a eles, dialogando sempre, conquanto as diferenças.

A solidariedade, sem dúvida, é a porta de entrada do período da regeneração na Terra e, conforme nossa referência de apoio, é a marca dos mundos regenerados, pois

"Em todas as frontes, vê-se escrita a palavra amor; perfeita equidade preside as relações sociais, todos reconhecem Deus e tentam caminhar para Ele, cumprindo-lhe as leis".

capítulo 8

Líderes conscientes e educativos

"Por isso mesmo, porque é o pai de muitos vícios, o orgulho é também a negação de muitas virtudes. Ele se encontra na base e como móvel de quase todas as ações humanas. Essa a razão por que Jesus se empenhou tanto em combatê-lo, como principal obstáculo ao progresso."
(*O evangelho segundo o espiritismo*, cap. X, item 10)

A personalidade arrogante não respeita a opinião alheia. É o orgulho da verdade pessoal.

Esse desrespeito se dá quando não há suficiente sensibilidade para ouvir as ideias ou razões das atitudes de alguém. Ouvir, no entanto, não significa escutar. A complexidade do ato de ouvir pode ser entendida em três etapas distintas e sequenciais: primeiro é estar atento; posteriormente, é a capacidade de não julgar; por último, a sensibilidade que gera a valorização sincera nas expressões alheias por via da compreensão.

Essa atitude de adesão às manifestações do outro, entretanto, para que gere o clima do autêntico respeito e da mais profunda alteridade, não pode ser uma concessão estratégica que, no fundo, esconda o desejo consciente de alcançar resultados de interesse pessoal logo adiante, uma forma sutil da postura controladora – a face mais conhecida da arrogância.

Isso ocorre porque toda personalidade arrogante é alguém que só acredita na sua concepção pessoal de mundo, sendo ele próprio escravo de modelos nos quais enquadra tudo e todos. Leva consigo uma resposta para qualquer pergunta e uma receita completa, como se fosse detentor de toda a sapiência, em lamentável crise de autossuficiência. É escravo de programações mentais autoinduzidas por seu orgulho, sustentando o automatismo da crença inflexível nas qualidades pessoais que julga possuir. Algumas vezes, essa arrogância é estimulada por vários títulos e habilidades, quais sejam os de médium, presidente, orador...

Por causa dessa onipotência psicológica, a personalidade arrogante toma atitudes autoritárias, seja de forma dissimulada, seja pela forma mais conhecida de abuso da autoridade, a manipulação.

A arrogância, na maioria dos casos, é um mecanismo de defesa de alguma vivência traumática com a questão da necessidade da aprovação alheia. Quase sempre os arrogantes sofrem de complexo de inferioridade pessoal. É necessário um estudo aprofundado para ajuizar sobre como a baixa autoestima é presente e determinante na estrutura mental da maioria dos habitantes da Terra.

Interessante observar que entre os extremos da necessidade de domínio, que determina a inquietação e a mania do zelo excessivo, que causa a morosidade e o puritanismo, em nenhuma destas duas atuações detectamos a presença indispensável das marcas excelsas dos líderes na nova era: cooperação, empatia, assertividade, alteridade e diálogo – os alicerces de um processo de trocas genuinamente educativo.

Analisando com mais cuidado, podemos inferir que semelhantes quesitos são os componentes essenciais que definem, em uma só palavra, a alma das lideranças conscientes e educativas. Essas marcas fundamentais estabelecem a plataforma sobre a qual quaisquer lideranças promissoras deverão se inspirar, para que haja uma lavoura de serviços ajustada aos novos quesitos dos tempos modernos: o relacionamento parceiro.

Quaisquer dirigentes que desejem integrar o quadro das características do mundo regenerativo, seja nos roteiros da espiritualização ou no segmento das conquistas sociais, terão de se matricular nos cursos educativos da vida de relações parceiras. Sem isso não haverá liderança vitoriosa que conduza a novos tempos.

Somente quem sabe ouvir relaciona-se com mais proveito. Ouvir é o estado interior de desprendimento das ideias pessoais e de receptividade para o que existe fora da órbita de nosso entendimento. Não se ouve ninguém se não se dispuser a exercitar cooperação, empatia, assertividade, alteridade e diálogo.

Surge, então, uma desafiante indagação para nossas investigações saudáveis nos estudos da doutrina: como se tornar um líder parceiro? Como superar esses ímpetos da personalidade arrogante que ainda assinalam claramente a ação da maioria de nós?

Anotemos, então, uma modesta contribuição para que os amigos nas fileiras espíritas possam trabalhar pela autoridade espontaneamente aceita e escolhida, distante dos incômodos do autoritarismo cerceador, construindo o clima de parceria estimuladora e da convivência feliz:

- Conhecer melhor as ideias alheias – apreciá-las sem julgamento.
- Evitar agir com precipitação – fugir do ciclo de reações intempestivas.

- Habituar-se a ser questionado sobre suas ideias sem se defender e se irritar.
- Diluir os papéis dos cargos e manter proximidade humana – relações afetuosas formam o clima para a confiança.
- Medir constantemente a temperatura psíquica – a agitação mental é a febre da preocupação e sintoma de apego e interesse pessoal.
- Traçar planos em grupo.
- Expor seus sentimentos sem medo de perder sua autoridade.
- Todo líder tem muito a dizer. Um excelente exercício: ser o último a falar.
- Assumir seus melindres para não cair na insensibilização – o movimento está repleto de corações indiferentes que se julgam fortes e experientes.
- Colabore na edificação, ao invés de apenas mandar fazer.

Enfim, nessa era da parceria, uma sábia conclusão será insubstituível para o sucesso e bom proveito nos roteiros da vida espírita: toda liderança tem sua utilidade, todavia, solidariedade e harmonia autênticas só são edificadas por lideranças que aprendem a ouvir.

E que caminho melhor a tomar nesse desafio que este de aprender a domar o nosso mais velho inimigo moral:

"Por isso mesmo, porque é o pai de muitos vícios, o orgulho é também a negação de muitas virtudes. Ele se encontra na base e como móvel de quase todas as ações humanas. Essa a razão por que Jesus se empenhou tanto em combatê-lo, como principal obstáculo ao progresso".

WANDERLEY OLIVEIRA | ERMANCE DUFAUX

capítulo

9

Fraternidade aplicada perante os esforços alheios

"Procurai os verdadeiros cristãos
e os reconhecereis pelas suas obras.
"Uma árvore boa não pode dar maus frutos,
nem uma árvore má pode dar frutos bons."
— SIMEÃO (Bordéus, 1863)
(*O evangelho segundo o espiritismo*, cap. XVIII, item 16)

Meditemos sobre o espírito de liberdade que deve vigorar nas frentes de serviço cristão.

É nosso direito:

- Ter uma opinião pessoal.
- Assinalar incoerências doutrinárias.
- Perceber falhas na execução.
- Discordar.

É nosso dever:

- Cooperar para o aprimoramento.
- Incentivar melhorias.
- Subtrair o impulso de diminuir o esforço do próximo.
- Calar recriminações.
- Colocar-se à disposição para ajudar.
- Orar para que os Espíritos protetores amparem.
- Jamais excluir.
- Valorizar os aspectos bons.
- Suprimir as referências de comparação.

Temos dois excelentes motivos para essas considerações: o primeiro é que poucos de nós estamos aptos a perceber como Deus conta com o esforço alheio; e o segundo é que cada criatura tem uma consciência, única referência de valor ante o tribunal da vida. Quanto ao primeiro, anotemos uma oportuna lembrança: não existe uma tarefa com a qual o Pai não conte. Quanto ao segundo, respeitemos as razões subjetivas dos companheiros de aprendizado para fazerem o que fazem e da maneira como fazem.

Sem dúvida, é dever colaborar com as mudanças necessárias em favor do estabelecimento de ações confiáveis e sólidas nos propósitos da causa, mas aprendamos a fazer isso sem fugir das propostas morais contidas no ideal que defendemos.

Para muitos corações ousados e corajosos, os limites entre a convicção e a arrogância são tênues. Muitas vezes, adotam a rigidez, perdendo-se na descaridade.

Uma pequena e feliz regra deve nos inspirar a atitude: ao invés de agirmos pela repressão do mal, esforcemo-nos por demonstrar a força do bem, erguendo obras e exemplos pessoais que testemunhem sobre o valor daquilo que defendemos e acreditamos, e, quanto às tarefas alheias, busquemos sempre a complacência incondicional.

Portanto, aceitemos por primeira lição, nas lides de trabalho espiritual, o respeito incondicional e cooperativo às iniciativas que ainda não entendemos ou das quais discordamos.

Em qualquer circunstância, recordemos que melhor que convicções de ordem filosófica firmadas com o intuito de fidelidade e seriedade aos compromissos é zelar pela fraternidade aplicada. Perante as tarefas alheias, lembre-se que os frutos falam da árvore.

Busquemos o essencial, que se encontra na solidez do amor praticado e na construção da obra grandiosa de edificar alicerces seguros na esfera da consciência.

Prossiga confiante e não desista de servir e aprender. Isto deve bastar ao servidor de Jesus.

apítulo

10

Modelos mentais de julgamentos

"O orgulho vos induz a julgar-vos mais
do que sois; a não suportardes uma comparação
que vos possa rebaixar; a vos considerardes,
ao contrário, tão acima dos vossos irmãos,
quer em espírito, quer em posição social,
quer mesmo em vantagens pessoais,
que o menor paralelo vos irrita e aborrece."
(*O evangelho segundo o espiritismo*, cap. IX, item 9)

Somente com compaixão conseguiremos estar acima do nosso imaginário com relação aos nossos semelhantes.

Somente com tolerância para conosco mesmos conseguiremos romper com os padrões idealizados que ainda não conseguimos alcançar por agora.

Exigimos excessivamente do outro porque não somos bondosos conosco. Quem não se ama, inevitavelmente, projetará suas sombras na convivência, alimentando expectativas desconectadas da fraternidade. Nessa condição emocional surgirá a severidade em forma de intransigência e cobrança, criando decepção e mágoa.

Somente quem desconhece em si mesmo o quanto tem de transpor para mudar comete o descuido de cobrar postura de alguém. Escasseiam-nos habilidades espirituais para emitir juízos justos e verdadeiros acerca dos esforços alheios para domar suas más inclinações.

O campo das intenções e dos desejos é essencialmente individual. Claro que nas relações existem sentimentos como orgulho e vaidade. Mas, fora de nós mesmos, só podemos efetuar suposições a respeito dos sentimentos e intenções alheias. Qualquer certeza nesse terreno pode ser ponto de introdução para a obsessão e o desencanto uns com os outros.

Tendemos a representar as pessoas conforme aquilo que delas conhecemos e pela qualidade do afeto que nos enlaça, todavia as pessoas, geralmente, são sempre um tanto mais que a concepção que delas idealizamos.

Deveremos, pois, estar sempre prontos para nos desapegar de quaisquer juízos e para a aceitação e a atitude fraternal.

Cada qual tem suas necessidades, virtudes, méritos e imperfeições particulares. A idealização que fazemos de nosso próximo é uma imagem com vida própria nos escaninhos da mente. São programas mentais com capacidade de influir decisivamente na formação dos sentimentos. São modelos que criamos para definir os outros na avaliação pessoal.

A vida nos convocará infinitas vezes à transformação desses modelos mentais. Somente com a compaixão e a tolerância nascidas nas fontes do coração disposto a amar encontraremos motivos nobres para nos desapegar de tais imagens idealizadas e aceitar o próximo como ele é.

A mulher adúltera,[8] que todos ansiavam apedrejar naquele instante, representava a parcela menos digna de cada um dos agressores ali presentes. Projetavam sua *sombra* na mulher em pecado. É a defesa do ego contra os impulsos que trazemos na intimidade. É mais fácil e menos doloroso arremessar ao outro as pedras da incompreensão do que verificar em nós próprios o volume de deficiências em sintonia com a atitude que costumamos recriminar.

Quando a luz da compaixão clareia nosso raciocínio, sentimo-nos, espontaneamente, impelidos a acolher a todos em seus fracassos e limitações, mesmo que tenhamos sido alvo de seus desatinos.

---

8. João, 8:7.

A Lei de Amor que vibra no universo é o impulso divino que determina o destino inevitável de todos nós, cuja essência é a solidariedade em quaisquer condições. Estender a mão e soerguer, amparar e aceitar. Nas leis universais do Criador não existem juízes à procura de acusadores para punir os pecadores. Existem, sim, almas dispostas a esquecer e a perdoar a caminho do futuro glorioso, ricas de entendimento e dispostas a estimular o recomeço para dias melhores e mais felizes.

Compaixão sempre, indistintamente. Sem essa força divina soprando em nosso favor, como suportar as rajadas impiedosas da culpa e do medo nos dias de provação?

capítulo

11

Inventário da ofensa

"Oh! ai daquele que diz: 'Nunca perdoarei',
pois pronuncia a sua própria condenação."
— PAULO, APÓSTOLO (Lião, 1861)
(*O evangelho segundo o espiritismo*, cap. X, item 15)

PERANTE AS OFENSAS:

- A mente se fixa na agressão.
- Surge a incontrolável necessidade de caluniar o agressor.
- Há o desequilíbrio emocional na raiva.
- Cria-se a insegurança para com os futuros relacionamentos.
- Torna-se o campo mental acessível a inimizades desencarnadas.
- Oportunizam-se doenças físicas decorrentes do teor energético de sentimentos primitivos.
- Instalam-se o medo e a instabilidade perante fatos similares.
- Aparece a perturbação no sono.
- Nasce a sede de vingança.
- Acaba a disposição para o diálogo.
- Ganha espaço o desgosto de viver num mundo tão conturbado.
- Prolifera-se o gérmen de fobias para outras reencarnações.
- Despontam as provas voluntárias que acrescem mais dor à vida.
- Abre-se a concessão que dá direito ao outro de perturbar nossa paz.
- Chega a doença moral que é transportada para a vida espiritual.

- Desenvolve-se espessa camada vibratória no centro cardíaco, gerando nociva tumoração afetiva.
- Irradia-se o impulso criador da ansiedade intermitente.
- Rompe-se o abscesso psíquico para a inflamação do ódio.

Esse é o inventário das ofensas carregadas pelos ofendidos!

É comum encontrarmos ofendidos, em quaisquer níveis, inventariando seus méritos perante as "injustiças" que lhes foram impostas, supondo-se credores de direitos especiais em razão da condição de agredidos. Nessa postura de vítimas, não percebem o mal que causam a si próprios ao adubarem o montante de dores das quais foram alvo.

Quando leais e honestos, asseveram: "eu não merecia isso", sem considerar que talvez não merecessem mesmo, mas que necessitam da experiência para se adiantarem e ampliarem a percepção de si mesmos e da vida.

A dor extrema da ofensa é penosa demais para não abrigar um sentido divino e educativo para a alma. A mágoa é um sintoma denunciador de que algo necessita ser reorganizado na vida moral do ofendido. Quase sempre, esconde um ponto sombrio de difícil percepção sobre a nossa personalidade. Sondar sem temor o que existe nas suas raízes é medida sóbria e defensiva do crescimento e da harmonia espiritual.

A mágoa é um espelho que revela algo que não estamos querendo enxergar sobre nós mesmos de uma forma mais suave. A mágoa é uma exímia destruidora de ilusões e idealizações que criamos sobre a vida e as pessoas. Quase sempre, é o resultado de uma miragem que a vida mental elabora sobre quem são as pessoas ou como a vida deveria ser. Essa miragem responde pelas exageradas expectativas que são construídas na convivência e perante os acontecimentos. Sob o comando fascinante dessas expectativas, surge a dor da mágoa como uma vivência emocional necessária quando não há espaço na vida mental para a realidade.

Perdoar é parar de sofrer com o que nos fizeram e descobrir por que a ofensa dói tanto nas partes mais secretas do coração, o que ela quer nos ensinar.

Sem dúvida, diante do inventário da ofensa, o melhor que fazemos pelo nosso próprio bem é usar a sabedoria do discernimento e a coragem da humildade, a fim de entendermos *para que* estamos passando por tão amarga experiência. É a chance de rever o que a imaginação construiu em desacordo com a realidade.

Sábia advertência de Paulo:

"Oh! ai daquele que diz: 'Nunca perdoarei', pois pronuncia a sua própria condenação".

Depois da dor da ofensa, adquirimos melhores oportunidades de amadurecer a visão sobre nós mesmos, detectando aspectos ilusórios de nossos passos. Isso é a liberdade que raia depois da tempestade devastadora.

capítulo 12

Conviver com diferenças e diferentes sem amar menos

"Tomai, pois, por divisa estas duas palavras:
devotamento e abnegação, e sereis fortes,
porque elas resumem todos os deveres
que a caridade e a humildade vos impõem.
O sentimento do dever cumprido vos dará
repouso ao espírito e resignação. O coração
bate, então, melhor, a alma se asserena
e o corpo se forra aos desfalecimentos, por isso
que o corpo tanto menos forte se sente quanto
mais profundamente golpeado é o espírito."
— O ESPÍRITO DE VERDADE (Havre, 1863)
(*O evangelho segundo o espiritismo*, cap. VI, item 8)

Naquela noite, o expositor espírita explanava sobre a fraternidade em equipe. Em certo ponto, foi interrompido por um ouvinte a solicitar participação:

— Imagine, senhor, o meu caso! Sofri um terrível acidente há dois anos; passei oito meses em hospitais e não recebi uma visitação sequer de algum companheiro desta instituição espírita; flagrante ausência de fraternidade que muito me magoou.

O expositor, em inspirada resposta, disse-lhe:

— Amigo, compreendo sua decepção. Vejamos o fato, porém, com maioridade espiritual. Conquanto seja uma falha a se lamentar, vê-se, claramente, que por aqui escasseiam a amizade e a atenção que ocasionaram esse episódio da indiferença humana. E você, pelo fato de ter sentido no mundo da sensibilidade os efeitos de semelhante tragédia das relações humanas, é o candidato mais apto a promover verdadeira campanha de amor, para erigir nesta casa uma formosa e ativa equipe de visitações solidárias aos corações que são afastados, por múltiplos motivos, da rotina das tarefas. Deixe de lado as mágoas e trabalhe com desprendimento e altruísmo.

~

Recordemos, na palavra de Jesus, que a casa dividida rui,[9] todavia ninguém pode arrebentar um feixe de varas

---

9. Mateus, 12:25.

que se agregam numa união de forças.[10] Esta inesquecível frase do missionário da união espírita, Bezerra de Menezes, constitui o alicerce dos grupos que se erguem em nome do Evangelho e do espiritismo.

As agremiações da mensagem cristã renascida tipificam-se nitidamente por valores que estejam na órbita do amor vivido uns com os outros, estabelecendo esse feixe afetivo referido por doutor Bezerra.

Na pequena historieta que narramos, constatamos o habitual em matéria da convivência humana, que é a expectativa, a espera, o desejo de ser beneficiado e servido e, diga-se de passagem, anseios muito justos.

A dinâmica do crescimento espiritual, porém, é tecida em direção oposta a quantos se acostumaram a viver como hóspedes acomodados a mordomias, favores e vantagens. O serviço Divino de erguimento moral requer implementação de roteiro inverso ao das expectativas infantis de ser servido.

Ao contrário, as Leis Universais estipulam, nos códigos do aprimoramento, a tarefa do amor incondicional expresso na cooperação espontânea, na disponibilidade constante, na alegria de servir e aprender, gestos menos comuns no roteiro de quem se orienta pelos valores transitórios do mundo.

---

10. Mensagem psicofônica recebida pelo médium Divaldo Pereira Franco, na noite de 20/Abr/1975, na sessão pública da Federação Espírita Brasileira – Brasília, DF. (*Reformador*, Fev/1976).

Ao invés de receber, somos convocados ao trabalho da doação, da cooperação, invertendo o fluxo dos sentimentos de cobranças para a posição de dispensador sincero e jubiloso de apoio e acolhimento, orientação e abnegação aplicados na conduta, enriquecendo os corações com a irradiação do afeto, do abraço e do sorriso de ternura como mensagens de aceitação plena e irrestrita do outro.

Convivência afetiva com diferentes e diferenças sem gostar menos ante as discordâncias. Aprendendo a dar sem aguardar retribuição, fazendo-se constante portador do otimismo e da alegria.

Laços de confiança cultivados no tempo, ampliação de relacionamentos autênticos, trabalho renovador e estudo libertador são elos que guardam unidas as *varas do feixe*, promovendo os grupos doutrinários à condição de celeiros de amor.

O celeiro é o local onde se guarda a reserva de recursos para as horas do refazimento, igualmente deve ser essa a condição dos centros espíritas nos embates e testemunhos de todo instante.

Não esperemos, portanto, colher frutos quando o convite é para que assumamos o papel de semeador. Se necessitarmos, então peçamos. Todavia, após o benefício, guardemos a gratidão, que é o piso indispensável a cada um para a adoção do esforço de semear logo mais, ampliando as bênçãos recebidas para outros que padecem males iguais ou ainda maiores que os nossos.

Saiamos da postura de vítimas e pedintes mendigando o afeto alheio e experimentemos dar um bom dia a alguém, em vez de nutrir ansiosa esperança de ser saudado ou receber atenção.

É mais jubiloso dar que receber. Aprendamos!

Movimentemo-nos para fora, iluminando quem esteja à nossa volta; cuidemos dos afins e não afins com cordialidade e paciência.

Palmilhemos a senda do esforço em se fazer recipiente credor desse fluxo natural da vida, amparemos, socorramos e estimulemos todos no caminho.

Seja a conduta solidária tua opção de edificação na obra de união e entendimento nos ambientes que cantam o nome de Jesus e Kardec – autênticos celeiros de amor para a consolidação da Era Nova.

capítulo 13

Singularidade humana e forças genésicas

"Amai, pois, a vossa alma, porém, cuidai igualmente do vosso corpo, instrumento daquela. Desatender as necessidades que a própria Natureza indica, é desatender a lei de Deus."
— JORGE, ESPÍRITO PROTETOR (Paris, 1863)
(*O evangelho segundo o espiritismo*, cap. XVII, item 11)

Decerto, algumas provas, programadas antes da reencarnação ou mesmo circunstanciais, situam muitas pessoas em cursos intensivos de contenção e abstenção quando partilham parcerias conjugais ou não.

Importante destacar que a prova só educará e será valorosa quando houver um processo consciente das necessidades pessoais de aperfeiçoamento. Do contrário, sem noções claras sobre o que se está aprendendo e desenvolvendo na vida afetiva, a criatura pode adotar posturas de grandeza espiritual, confundindo bloqueio expiatório com espiritualização.

Abstinência nem sempre é solução, e pode ser apenas uma medida disciplinar sem que, necessariamente, signifique um ato educativo. Por educar devemos entender, sobretudo, a desenvoltura de qualidades íntimas capazes de nos habilitar ao trato moral seguro e proveitoso com a sexualidade e suas expressões de vida. Negar sentimentos e desejos não significa evolução assegurada ou conquista definitiva.

Evidentemente, carecemos de contenção e limite, mas só os valores morais enobrecedores, quais sejam, o respeito, a bondade e o amor poderão inclinar a visão espiritual da sexualidade para níveis de grandeza, universalidade e paz interior. O respeito gera a responsabilidade que assegura bem-estar e valor moral nas relações. A bondade patrocina a atitude altruísta no erguimento de obras dignas. O amor direciona a sexualidade para suas manifestações mais libertadoras.

Raramente renasce no corpo físico algum coração dispensado das trocas magnéticas da sexualidade. A natureza, em milênios de edificação, consolidou a carga erótica como divino patrimônio da criação para garantir a perpetuidade da espécie e ensejar-nos a bênção da cocriação. Além disso, pela troca de estímulos e sensações revitaliza-se o tônus energético com o qual o corpo e a alma se manifestam nas movimentações de todos os instantes.

Relapsos e egocêntricos, usamos semelhante força para os desatinos do prazer e do gozo físico, incapacitando-nos, temporariamente, para o uso multiforme dessa conquista. Hoje purgamos o preço doloroso das loucuras de outros tempos.

Agora nos cabe o desafio de refazer caminhos. Sexo responsável, eis o grande desafio ético que nos espera!

Fazer um encontro com o homem velho, descobrir-lhe os apelos, tratar-lhe as tendências.

Assinalamos, assim, sem nenhum propósito de redigir cartilhas de ação, e com todo o respeito à singularidade humana, algumas medidas saudáveis, extraídas da vivência e da prática no aprendizado diário dos homens, para meditação de quantos desejem um projeto reeducativo inicial das suas forças genésicas:

- **Comprometimento com a mudança** – nenhum recurso de fortalecimento da vontade terá eficaz resultado se não for precedido de comprometimento íntimo de mudar.

E mudar nem sempre é prazeroso, pois implica esforço, renúncia e desapego, ações que custam, muitas vezes, processos dolorosos de dúvida e insegurança.

Sair de um estágio e promover-se, espiritualmente, a outro, é triunfar sobre hábitos e personalidades estruturadas na cristalização mental.

▶ **Paciência na obtenção de resultados** – reeducar é tentar novamente aplicar como se deve. Isso pede persistência na luta e paciência com os frutos que surgirão, inevitavelmente, a seu tempo.

Não existe esforço perdido ou em vão, contudo, em face da extensão de nossas necessidades afetivo-sexuais, parece-nos, em muitas ocasiões, que os resultados do empenho não surgem, trazendo-nos frustração e desânimo.

Prosseguir é a palavra de ordem.

Méritos e benefícios duradouros só podem ser conquistados em clima de testemunhos abnegados e incondicionais.

▶ **Buscar ajuda** – muito provavelmente não identificaremos algumas causas reais das nossas desarmonias na sexualidade sem o apoio de alguém.

Seja um apoio profissional, doutrinário, de amizade ou conjugal, o importante é que seja recebido em clima de empatia e respeito, confiança e sinceridade.

A confissão reconfortante, a conversa esclarecedora e o desabafo constituem interrupções elementares nos circuitos mentais neuróticos e viciados e nas obsessões primárias e desgastantes que podem levar à alienação.

▸ **Esclarecimento** – a luz do conhecimento é a claridade que aponta rumos e define novas perspectivas. Inclui-se aí o conhecimento do próprio corpo, sua fisiologia, suas sensações e reações.

Todavia, saibamos digerir todo conhecimento, por mais intensa autoridade que possua sua fonte, conforme as peculiaridades do caminho único, individual, que a vida apresenta a cada um de nós.

▸ **Autodisciplina** – vigiar a palavra que excita e cria vínculos com forças invisíveis.

Selecionar imagens mentais degradantes de devassidão que estimulam fantasias e uma psicosfera sensual. Mas, sobretudo, cuidar das necessidades afetivas para que não sofram os delírios da paixão.

O desafio do sexo responsável solicita que a razão dirija com discernimento as expressões da emoção.

▸ **Oração** – pela oração nos envolvemos nas correntes superiores, de onde emanam elementos etéreos de pacificação e harmonização, concedendo-nos melhores possibilidades na manutenção do equilíbrio e da paz. Sem o estado de oração e meditação, raramente conseguiremos fruir sentimentos impulsionadores de novos hábitos, e tais "sentimentos-estímulo" serão poderosa referência a nos induzir para a vanguarda.

▸ **Romper com padrões** – quando estipulamos padrões de conduta radicais, quase sempre geramos um ambiente de ansiedade e autocobrança.

O único padrão que devemos adotar como inspiração para nosso programa de ação é o de "fazer aos outros aquilo que gostaríamos que os outros nos fizessem".

A instituição de regras gerais nesse tema degenera em radicalismos e excessos que em nada auxiliam na nossa mudança autêntica e definitiva.

A questão da sexualidade é pessoal, intransferível, consciencial; e a ética, nesse campo, passa por muitas e muitas adequações.

O que não se justifica é a fuga do enfrentamento de nossas necessidades, que devem ser olhadas com amorosidade, como assinala Jorge, o Espírito protetor:

"Amai, pois, a vossa alma, porém, cuidai igualmente do vosso corpo, instrumento daquela. Desatender as necessidades que a própria Natureza indica, é desatender a lei de Deus".

∼

Querido trabalhador de Jesus!
As tuas necessidades não são diferentes daquelas das demais criaturas perante o dinamismo do corpo sadio e

abundante da energia criadora. Não anseies por saltos evolutivos aparentes, a fim de não padeceres as amarguras da insanidade silenciosa no campo mental.

Tenha sua opinião afinada com sua consciência iluminada pelo bem, e não aja para atender às convenções e conveniências de grupos ou a ensinos doutrinários mal interpretados ou analisados de forma incompleta, que, possivelmente, serão usados como cobrança.

Elabora teu programa de vigilância pela oração e pela disciplina dos impulsos, mas não situa a tua melhora somente em medidas de contenção.

Aprende, também, a desenvolver os sentimentos enobrecedores para com todas as criaturas, especialmente com aquelas que despertem na tua intimidade os interesses do amor carnal.

Quando fores surpreendido por atrações e apelos, olha para teu mundo interior com piedade. Sem dar asas a mentalizações inferiores, procura a posição mental do observador imparcial e atento, imbuído de respeito e compaixão para com teu homem velho. Essa postura é a atitude da mente alerta em direção à consciência lúcida.

Renova os hábitos que podem estar exercendo o papel de mantenedores dos painéis mentais que incendeiam teus apetites. Evita aquilo que te excita às febricitantes fantasias. Não conseguindo, perdoa-te e recomeça a tentativa, sem jamais desistires.

Inclui em teu esforço reeducativo a confidência apaziguadora. Recorre a alguém que te inspire confiança pelo exemplo moral ou, na falta desse, a um profissional competente e bem indicado das ciências psicológicas, para que possas interromper o ciclo mental vicioso de abafamento e incômodos causados por teus conflitos afetivos e sexuais.

 Ficam, então, nossas anotações como palavras de estímulo e apoio.

 A construção de uma visão imortalista da vida e de um projeto de vida espiritual conduzir-nos-á a uma noção sagrada da sexualidade, e fortificará nossa vontade para o exercício do sexo com amor, em favor da nossa evolução.

 É um desafio passível de vitória.

capítulo

14

O amor nas relações não exclui o teste da ingratidão

"Que se deve pensar dos que, recebendo
a ingratidão em paga de benefícios
que fizeram, deixam de praticar o bem
para não topar com os ingratos?

Nesses, há mais egoísmo do que caridade,
visto que fazer o bem apenas para receber
demonstrações de reconhecimento
é não o fazer com desinteresse,
e o bem, feito desinteressadamente,
é o único agradável a Deus."
(*O evangelho segundo o espiritismo*, cap. XIII, item 19)

Ele era um homem rico de qualidades morais. Aplicado servidor daquela casa espírita. Zeloso, cuidava com carinho pelas variadas frentes de serviço, dispensando incentivo e preparo. Dobram-se os anos e ele, fiel, cada dia mais tomava sobre si as responsabilidades e doava-se em esforços. Acontece-lhe, no entanto, um doloroso teste que o abate em distraída invigilância.

Aqueles que mais o amavam, os que dividiam os tempos de alegria e dores, sem mais nem menos, em razão de fofocas rotineiras, agridem-no em flagrante ingratidão e intentam afastá-lo dos cargos, buscam subtrair-lhe a autoridade com a infâmia, e procuram diminuí-lo com discriminações. Colhido de surpresa ante o inesperado, penetra as faixas tenebrosas da revolta e, em golpe ardiloso da obsessão, abandona os deveres e debanda-se pela vida por entre mágoas e queixumes, passando o resto dos seus dias perguntando a razão de semelhante ingratidão, e contabilizando, sempre em seu favor, os créditos em serviço, o que lhe aumentava ainda mais a revolta e o ressentimento.

∾

A ingratidão poderá bater à porta de tuas experiências na pessoa daquele que menos esperavas, colocando-te a inteligência afetiva em desafio doloroso.

Aceita-a, apesar da dor dilacerante, como aviso de Deus, para te desapegares de anseios e desejos que, possivelmente, te manteriam na retaguarda do progresso.

Se te encontras matriculado na escola terrena nas preciosas lições do espiritismo cristão, cuida-te com atenção quanto ao doloroso teste da ingratidão.

Quando te encontrares ferido pelas pedras da mentira e da injúria, ora pelos que te caluniam e perseguem.

Nas situações da traição e infidelidade, mantém-te sóbrio e perdoa incondicionalmente.

Quando as dores acerbas do desapreço te ferirem, partindo justo daqueles que menos esperavas, busca o Mais Alto e compenetra-te no espírito do idealismo superior que te assegura alívio e estímulo, e conceda à vida o tempo que ela necessita para ajustar à tua volta a ordem natural dos fatos, que te engrandecerão o entendimento e servirão de imprescindíveis disciplinas na aquisição dos valores espalhados pela plenitude do amor e da serenidade.

A ingratidão como retribuição aos benefícios é aferição de dilatada exigência ao trabalhador espírita, a fim de avaliar o aproveitamento dos discípulos nos testemunhos da abnegação e da humildade, do desapego e do amor incondicional.

Serve e prossegue

Realiza e esquece.

Empenha-te e desculpa sempre.

Esse doloroso teste é, em verdade, prova promocional que elevará as possibilidades do servidor nos ofícios doutrinários.

Todos os que, efetivamente, serviram aos ideais de Jesus, foram, em determinado instante, incompreendidos no seu desprendimento e na fieira de seus sacrifícios, sendo taxados de irresponsáveis ou fanáticos, personalistas ou vaidosos.

O exemplo vivo do cristão verdadeiro provoca incômodo ao comodismo dos distraídos, causa dramas de consciência nos que carregam os conflitos da culpa, excitam a inveja naqueles que se sentem fracos e inabilitados, estimula o ciúme em quantos guardam pretensões de domínio e perturbam o relativo equilíbrio dos que ainda não desenvolveram a fé em seus corações.

Firma-te nos programas do bem e ora continuamente. Abandonar, jamais.

Se abandonares o trabalho, estarás assinando um termo de concórdia às reprovações que te são dirigidas. Propõe, ao contrário, diálogo, oração e tempo na solução dos desentendimentos que provocam incêndios nas relações.

Se buscam tolher tuas ações, trabalha ainda mais. Se te doem na sensibilidade as chibatadas do desprestígio, harmoniza-te com os tesouros de afeto e reconhecimento que te emprestam tantos outros amigos que te amam e reverenciam.

Jesus, o Divino Pomilcutor, foi taxado de inimigo do bem tão somente porque cumpriu, na prática, a Velha Lei e os Mandamentos. Quem ilumina sempre corre o risco de ser julgado como dominador.

Por mais te sintas apedrejado, levanta o ânimo confiante, porque é nessas horas do doloroso teste que o Senhor espera de ti o amor sacrificial na sublime pergunta: Que galardão há em amardes somente a quem vos ama?[11]

---
11. Mateus, 5:46.

capítulo

15

Ser espírita
sem ser perfeccionista

"Pois que vos dizeis espíritas, sede-o. Olvidai o mal que vos hajam feito e não penseis senão numa coisa: no bem que podeis fazer."
— SIMEÃO (Bordéus, 1862)
(*O evangelho segundo o espiritismo*, cap. X, item 14)

Avida à luz da doutrina espírita ganha sentido e motivação superior em qualquer lugar e em qualquer tempo. Basta-nos, para isso, estar atentos aos chamados no altar da consciência.

Espiritismo não é uma proposta de isolamento infrutífero, mas um convite à convivência libertadora e regenerativa da humanidade. E isso não será possível sem erros, deslizes e descuidos. Querer somente acertar e viver uma conduta reta, tão somente por conta da leitura de algumas dezenas de livros ou pela participação sincera em atividades de benemerência, é uma ilusão contra a qual devemos nos defender.

Entre o ideal e o possível, há uma grande distância no caminho da evolução espiritual.

Tenhamos em mente as diretrizes abençoadas da doutrina como metas existenciais para as quais destinaremos os melhores esforços, fazendo o nosso melhor. Mais que isso é exigência descabida de nossa velha neurose de perfeição.

Louvemos as metas de perfeição, mas sem perfeccionismo.

Louvemos o eu ideal, todavia recordemos que para conquistá-lo teremos de aprender a amar o nosso eu real.

Tracemos, assim, algumas linhas éticas pelas quais a ação do homem espírita será compatível com a natureza moral do espiritismo, vivendo em pleno meio social na condição de luz do mundo para o bem e elevação de todos:

- Examinar gestos e atitudes, jamais a pessoa. Discordar da atitude é diferente de julgar a criatura.
- Manter constante postura de aprendiz e esvaziar-se dos preconceitos que geram autossuficiência.
- Aprender a ouvir o outro sem respostas ou ideias prontas ante suas colocações.
- Procurar compreender cada pessoa e suas respectivas atitudes, por mais desajustadas que sejam.
- Nas tarefas espíritas, abster-se de menosprezar a singeleza das oferendas alheias, tendo por certo que cada qual contribui para a obra conforme seus pendores e necessidades.
- No lar, cultivemos o hábito de discutir as decisões com todos, permitindo a lição da cooperação.
- Aceitar colaborar com deveres nobres que não atendem ao nosso gosto e costume.
- Exercitar o desprendimento em quaisquer circunstâncias, enfocando as perdas como um convite para a mudança necessária.
- Nas decisões, habituar-se à oração e à meditação, escutando o nosso Deus interior, a fim de abdicarmos dos impulsos impensados.
- Cultivar a abnegação, fortalecendo no íntimo a alegria de servir e aprender, em vez de valorizar tributos do prestígio e da pompa, mesmo quando justos.
- Aceitar as ofensas como oportunidades de vencer as más tendências, recorrendo ao antídoto do perdão na aquisição de resistência e humildade.

- Trabalhar em equipe, adotando a renúncia em lugar da neurótica necessidade de evidência.
- Fixar a mente nas virtudes do próximo, estimulando-o em seus dotes morais.
- Evitar destacar o mal alheio, para colaborar com sua extinção.
- Abster-se da maledicência e desenvolver a competência do bem dizer.
- Preservar o pensamento dos convites para a fuga do dever no descanso dispensável.
- Trabalhar com alegria, mesmo em condições desfavoráveis.
- No lazer, dignifique a conduta demonstrando que relaxamento mental não significa leviandade.
- Na diversão, não faça confusão entre alegria e tumulto.

Façamos o nosso melhor e recordemos que, quando não conseguirmos êxito, devemos focar no bem a ser feito, e não no mal que não pudemos evitar, e continuar o trabalho de reeducação de nossas almas, tentando quantas vezes forem necessárias para alcançarmos a superação.

O convite da mensagem espírita é colocar nossa luz para fora, sendo nós próprios os primeiros a nos beneficiar do clarão da saúde e da paz, da alegria e da motivação para uma vida plena e redentora.

Para a maioria de nós, porém, essa recomendação será muito inspiradora para recomeçarmos o caminho:

"Olvidai o mal que vos hajam feito e não penseis senão numa coisa: no bem que podeis fazer".

capítulo

16

A arte de aceitarmo-nos como somos

"Sede indulgentes, meus amigos, porquanto a indulgência atrai, acalma, ergue, ao passo que o rigor desanima, afasta e irrita."
— JOSÉ, ESPÍRITO PROTETOR (Bordéus, 1863)
(*O evangelho segundo o espiritismo*, cap. X, item 16)

Quando o senhor Allan Kardec interrogou aos Sábios Instrutores da Verdade sobre o conceito de caridade como a entendia Jesus, a resposta consta de três comportamentos, sendo que o primeiro é: "(...) indulgência para as imperfeições dos outros (...)"¹²

Indulgência é a postura moral capaz de perceber as faltas alheias e evitar os procedimentos do julgamento e da censura que, em variadas situações, degeneram em perturbações nas relações humanas.

A indulgência não significa atitude passiva de silêncio e omissão. Na verdade, ela deve se constituir na ação dinâmica e operosa de sempre perceber e destacar as imperfeições alheias e os dramas sociais cooperando para a sua transformação. Na relação humana, ela tem o nome de *tolerância ativa*, inspiradora de ações dignificadoras e cristãs nos instantes em que o escândalo ou a invigilância provoquem o naufrágio dos homens no mar revolto dos ataques ou conflitos antifraternais.

Longe da conivência, ser indulgente é estabelecer a possibilidade de analisar o outro e os acontecimentos infelizes, entendendo as suas razões, e tomar uma postura interior que denote compreensão.

Analisar, compreender e agir construtivamente, eis a sequência de três atitudes que permitirão o encaminhamento adequado na vida interpessoal quando o assunto se refere às imperfeições alheias ou aos desagradáveis fatos

---

12. *O livro dos Espíritos*, questão 886, FEB.

do cotidiano, no intuito de desenvolver a arte de aceitarmo-nos uns aos outros como somos.

Analisar é sondar para conhecer, penetrar em raciocínios a fim de avaliar. Allan Kardec mostrou-se interessado no tema, indagando as Vozes da Verdade, na questão 903 de *O livro dos Espíritos*:

> "Incorre em culpa o homem, por estudar os defeitos alheios? Incorrerá em grande culpa, se o fizer para os criticar e divulgar, porque será faltar com a caridade."

A culpa é o registro infeliz das ações nos fóruns da consciência. Toda vez que penetramos esse terreno desconhecido do coração alheio para destacar-lhe as faltas, ativamos um mecanismo mental de abertura desse fórum consciencial, deparando-nos com nossas próprias culpas nos assuntos afins aos que averiguamos no próximo. A atitude mental de destacar os males alheios acorda em nós a energia da malícia, que se aninha em núcleos psíquicos nos porões do subconsciente. Semelhante ação é como se atiçássemos serpentes com varas, sendo afetados por seu bote venenoso em deploráveis estados íntimos de desarmonia.

A única condição interior para estabelecer tal análise sem essa ressonância mental é a posição de neutralidade na formulação de juízos acerca da conduta de outrem. Questão ainda desafiante à nossa condição orgulhosa. Contudo, as avaliações reguladas por uma conduta moral alicerçada na compreensão e na ternura poderão ser um estudo enriquecedor para o crescimento pessoal e um fator de fortalecimento para as atitudes de autêntica fraternidade nas relações humanas. Os defeitos alheios por nós observados são deveres de amor que a vida nos entrega para serem tratados com a maior sensibilidade e respeito.

Compreender, por sua vez, é a suprema qualidade das relações pacíficas, alteritárias. Compreender é apreender e aceitar o subjetivismo do outro, é penetrar a sonda da investigação moral nas razões subliminares que levam as criaturas a decisões e ações em sua existência, estimulando reações acolhedoras perante seus desatinos. Engana-se quem imagina que compreender significa entender a realidade do outro para que, então, possamos orientá-lo no que achamos que ele deve fazer. É necessário o uso de limites nesse terreno, exatamente para que não prejudiquemos uns aos outros no exercício das habilidades que farão brotar o Ser singular que somos.

A compreensão é o ato alteritário de imparcialidade que evita a formação de juízos apressados e calcados em estereótipos. Quase sempre, o que conhecemos dos seres com os quais mais convivemos é apenas uma pequena ponta do enorme *icerberg* de suas particularidades eternas. Julgamos os atos e as palavras alheias, mas não temos, ainda, a possibilidade de julgar os sentimentos e as intenções. Nesse passo, tropeçamos cotidianamente. Cada ser tem sua razão própria para agir dessa ou daquela forma, e cada qual, no seu subjetivismo, encontra-se autojustificado em seus procedimentos, mesmo na perversidade e no mal. Essa autojustificação é íntima, pessoal; diz respeito ao trajeto milenar da alma. Qual de nós pode escutá-la com exatidão?

"Vós julgais segundo a carne, eu a ninguém julgo."[13] A colocação do Cristo é rica em Sabedoria.

Agir construtivamente é a terceira etapa nas situações em que somos chamados a adotar um comportamento maduro ante as imperfeições do outro. Essa ação madura só será edificada se, antecedendo a ela, elaborarmos o campo íntimo na neutralidade emocional, desobstruindo o coração das reações intempestivas e infelizes perante os limites do próximo. A piedade, a discrição, a adoção de sentimentos nobres diante das faltas alheias, a extraordinária capacidade de perdão instantâneo e permanente, a manutenção dos expedientes de cordialidade, o exemplo vigoroso de solidariedade para com o outro e a cooperação para com o seu crescimento, por meio de orientação e apoio, constituem a postura de autêntica caridade.

É imperiosa a presença da sinceridade para que exista a autenticidade nos relacionamentos, entretanto, jamais poderemos fugir ao imperativo da conduta tolerante, deixando claro que autenticidade exclui a agressividade da invasão de limites e do desrespeito ao livre-arbítrio alheio. A pretexto de garantir relações honestas, muitos corações,

---

13. João, 8:15.

sem perceberem, derrapam na intransigência. A ausência de flexibilidade em nossos julgamentos costuma ser a estrada que conduz a esse patamar.

Os processos de relações indulgentes serão estímulos vigorosos à convivência espírita-cristã. De outro ângulo, sua ausência enseja um componente agravante dos comportamentos nas sociedades doutrinárias. Sendo portadores de extensa bagagem de conhecimentos acerca das questões da conduta e da vida, nutre-se entre os coidealistas uma acentuada expectativa moral, para além das reais condições de atendimento desses anseios uns em relação aos outros. E, uma vez não atendidas tais expectativas, que quase sempre não são reveladas, ocorre um fenômeno de decepções e mágoas que contamina a convivência com o vírus da amargura crônica.

Esse vírus, comum nos relacionamentos familiares e profissionais, agora toma conta dos sentimentos de muitos grupos doutrinários, delimitando panoramas de insatisfação, cobranças mentais, falatórios leviano e uma surda irritação que contagia a psicosfera das tarefas. Esse clima adverso serve de alimento para injunções obsessivas que desestabilizam atividades e estabelecem um clima de desagrado entre os tarefeiros. Depois, surge o desânimo e muitos desertam do trabalho ou permanecem dominados por apatia e estado íntimo de conflito e confusão.

Esse vício infeliz de ajuizar sentenças condenatórias tem facilitado obsessões fulminantes, e não raro temos encontrado entre companheiros de ideal quem proclame, em seus instantes de delírio e descuido verbal, o que virá a acontecer até mesmo depois da morte com aqueles que, de alguma forma, magoaram a sua frágil e melindrosa sensibilidade. Previsões de queda e ruína são arroladas nesses instantes de insanidade, quando o clímax da cobrança extermina as chances de concórdia e diálogo.

Esse hábito lamentável de expedir julgamentos definitivos e conclusivos sobre o próximo é uma enfermidade da qual temos de cuidar com urgência, em favor da melhoria das nossas atitudes. O alerta feito por José, Espírito protetor, na referência acima, é de rara oportunidade: "(...) o rigor desanima, afasta e irrita".

A fraternidade legítima solicita a vivência do afeto. O afeto solicita a virtude da confiança para florescer. A confiança deve ser tecida pelos fios da compreensão. E a compreensão solicita que estudemos perseverantemente a nós mesmos, a fim de que, entendendo-nos, tenhamos melhores recursos para ser imparciais na análise da conduta dos que nos cercam, meditando, longamente e com neutralidade, sobre quais seriam as motivações das atitudes alheias; dilatando a sensibilidade e a habilidade de penetrar na essência do outro sem ultrapassar os limites estabelecidos pelo equilíbrio da convivência. Essa atitude será reconhecida pelo clima vibratório do entendimento, expresso em condutas de acolhimento e aceitação mútua, incondicional.

Sem dúvida, semelhantes necessidades só poderão ser desenvolvidas em grupamentos cuja meta maior seja o intenso desejo de progredir pelo conhecimento das Leis Divinas e Naturais, e por sua consequente aplicação na vida diária. Buscar, cada dia mais, ser melhor que ontem, estendendo a caridade a nós mesmos, tanto quanto o Pai No-la dispensa a cada segundo da existência.

Elejamos mentalmente o lado bom e positivo de tudo e de todos em favor de nossa paz pessoal e dos ambientes em que atuamos. Essa será uma das mais valiosas atitudes em prol da harmonia universal na ecologia social da convivência.

"Sede indulgentes, meus amigos, porquanto a indulgência atrai, acalma, ergue (...)"

Se aspiramos a ambientes calmos e regados de paz, vivamos a indulgência. Se ansiamos por atrair corações, sejamos tolerantes. Se buscamos o amor, alcancemo-lo pelas estradas do erguimento de almas que suplicam, no silêncio de suas carências, nossos gestos de aceitação e acolhimento.

Jesus, o Sábio Juiz, não constrangeu Pedro, mesmo sabendo que ele o negaria. Não expulsou Judas da Santa Ceia, mesmo ciente do que ele faria. Tudo isso porque ele, que é puro amor imparcial, sabia que cada criatura tem de seguir o seu caminho, ainda que pelas trilhas da culpa ou pelos labirintos da dor, sendo nosso dever amar a cada um no seu lugar evolutivo, em favor do bem de todos.

Jesus, o modelo e guia da humanidade, nos compreende. Por essa razão, a humanidade clama até hoje por seu nome. O nome do Cristo atrai, acalma e ergue, porque sabemos que ele exemplifica a arte de nos aceitar como somos.

capítulo 17

Naturalidade,
o movimento energético
da regeneração

"Sede indulgentes (...) o rigor desanima, afasta e irrita."
— JOSÉ, ESPÍRITO PROTETOR (Bordéus, 1863)
(*O evangelho segundo o espiritismo*, cap. X, item 16)

A rigidez é uma atitude que denota escassez de inteligência emocional. Traduz-se por um apego compulsivo a conceitos, regras e condutas que se tornaram âncoras de proteção para quem tem medo de ir além de seus próprios limites. Por trás da rigidez existe muito medo.

Aplicada como disciplina nos hábitos, justifica-se quando dirigida a nós mesmos, desde que se apoie na docilidade dos sentimentos. Nesse caso, ela se chama severidade. Não vem seguida do clima psicológico de adversidade ou rejeição, que são propiciadores da punição.

A rigidez, quando resulta de uma má elaboração do mundo emotivo, é exercida com arrogância. É o veneno da desumanidade lançado nas correntes vibratórias das relações humanas ou na relação consigo próprio. É, sem dúvida, uma doença nos códigos da medicina espiritual, classificada como doença mental crônica adquirida através das reencarnações.

Quem defende a rigidez como método educativo procede assim por desconhecer mecanismos diferentes de pacificação do mundo íntimo. É alguém em conflito. Quase sempre confunde a disciplina necessária com o excesso de sua aplicação. Por essa razão, apega-se a ideias, métodos e padrões de comportamento que julga seguros às suas necessidades.

A personalidade rígida, por esse mecanismo, favorece a atitude de repúdio e o sentimento de indiferença a tudo aquilo que fuja às suas concepções de verdade e realidade, projetando para o mundo externo as expressões de uma vida interior implacável e inflexível.

Rigidez é inflexibilidade.

Determinação é consciência.

As pessoas em processo de enriquecimento emocional nobre são serenas sem serem relapsas, resolutas sem serem opressoras, determinadas sem serem perfeccionistas. Compreendem a natureza de seu cosmo mental e afetivo e aceitam fazer somente o seu melhor.

Por sua vez, as pessoas rígidas estão sempre em desajuste com sua estrutura íntima, que se encontra em estado de confusão, atacadas pelo mau humor. São criaturas que guardam expectativas exageradas em relação a si mesmas, mas negam sentir que não estão dando conta de atendê-las. E, para se defender, utilizam-se, na maioria das vezes, inconscientemente, de formas racionais de pensar a seu respeito. Para fortalecer e embasar esses escudos intelectuais de proteção, abrigam-se em rótulos de reconhecimento público, sendo, por esse motivo, muito afeiçoadas aos cargos, diplomas, deferências sociais e toda fórmula exterior que as faça sentir valor e autoridade.

A rigidez sempre responde pelo pior em quaisquer situações em que se manifeste, porque a personalidade rígida é tomada por uma "doce ilusão" de que sua forma de enxergar e viver é perfeita ou é a melhor. E isso, nos dias atuais, diante de tanta informação, em um mundo que caminha para o diálogo e o intercâmbio, a parceria e a diluição da idolatria, é como estar na contramão do progresso.

O mundo da regeneração inicia-se quando se abre a porta da diversidade para que entrem a concórdia, o acolhimento e a fraternidade legítima. Para abrir essa porta é importante a obediência à naturalidade da vida.

Quem não se aceita, será rígido com o mundo à sua volta, carregando a energia da antipatia e da separação.

Quem aprendeu a se amar, será um polo atrativo e hospitaleiro das diferenças e dos diferentes, que desejarão sua companhia e sua energia.

Ninguém na Terra detém a verdade em suas mãos ou em seu entendimento. Somos criaturas em uma escola com vários níveis e graus. O fator mais consistente de valor, nos dias atuais, é a qualidade energética daquilo que fazemos e criamos. As velhas e corroídas fórmulas de respeito e conteúdo, que durante séculos embalaram os ideais sociais, já não têm mais o mesmo sentido. Autoridade e valor, na atualidade, são encontrados em pessoas autênticas, simples, criativas e com bom senso de utilidade para o bem comunitário.

O estado mental de rigidez é contrário a esse movimento energético regenerativo na abertura do entendimento para a naturalidade da vida.

No Hospital Esperança,[14] temos recebido vários religiosos seguidores de Jesus adoecidos pela rigidez. A primeira

---

14. Obra de amor erguida por Eurípedes Barsanulfo na erraticidade.

decepção com que se deparam na vida espiritual é a de encontrarem em condições de equilíbrio interior muitas das pessoas que por eles foram recriminadas em razão de seu modo de pensar e agir ou julgadas por seu verbo inclemente.

Alguns desses corações enfermos chegam mesmo a ponto de organizarem manifestos de repúdio aos esclarecimentos que lhe são dados acerca de como o mundo espiritual se manifesta com consideração e carinho a trabalhadores e mesmo a organizações que na sua visão estreita eram fatores de impedimento e desvirtuamento da Obra do Cristo. Inconformados, em algumas situações terminam por terem de ser internados em longo e paciente tratamento de reeducação de suas tendências agressivas e rebeldes.

Depois, quando um pouco apaziguados, mas ainda não curados, são matriculados em diversas tarefas que jamais fariam espontaneamente no mundo físico, por considerá-las inexpressivas ou singelas demais. O objetivo educativo dessas iniciativas visa a um processo de integração mental com um dos valores mais substanciais na cura da rigidez, que é a obediência, isto é, a aceitação dos ditames da existência pela compreensão de sua importância na ordem universal. Além disso, outro significativo objetivo nessas tarefas é afastá-los da compulsiva necessidade que apresentam de regressar aos grupos, organizações ou iniciativas que deixaram no mundo físico, nos quais seriam, decisivamente, inconvenientes às necessárias mudanças que vão se operar em tais locais após seu desencarne e distante da sua influência opressiva.

E assim caminhamos todos nós, uns mais, outros menos, doentes de rigidez, à procura da cura de uma das mais velhas manifestações de nosso egoísmo milenar.

O respeito à diversidade só poderá encontrar receptividade nos corações maleáveis, dotados da riqueza da compreensão. Com esse traço moral, certamente poderemos afirmar que estamos à porta da regeneração espiritual de nós mesmos.

capítulo 18

Tempos de parceria e cooperação ativa na mediunidade

"A mediunidade não implica necessariamente relações habituais com os Espíritos superiores. É apenas uma aptidão para servir de instrumento mais ou menos dúctil aos Espíritos, em geral. O bom médium, pois, não é aquele que comunica facilmente, mas aquele que é simpático aos bons Espíritos e somente deles tem assistência. Unicamente neste sentido é que a excelência das qualidades morais se torna onipotente sobre a mediunidade."
(*O evangelho segundo o espiritismo*, cap. XXIV, item 12)

Psicografia à luz dos tempos novos de parceria e cooperação consciente é o projeto de melhoria por meio da interação e permuta do conhecimento e das vivências entre encarnados e desencarnados.

Aguardando automatismo e revelações, muitos medianeiros recusam-se a assumir postura ativa perante os serviços da escrita mediúnica, alegando a tese anímica, com a qual acolhem uma visão distorcida da sua participação e da dos Espíritos nessa tarefa.

Muitos médiuns, adotando a passividade total como princípio fundamental de autenticidade mediúnica, colocam-se à mercê do mundo espiritual em descuidada posição de maquinaria mecânica, sem nenhum preparo ou manutenção, quando até mesmo as máquinas materiais sem a graxa ou o ajuste tecnológico não produzem a contento.

Esperam novidades e conteúdos espetaculares, mas só se lembram dos autores e temas espirituais quando pegam no lápis para escrever, levando uma vida distante dos propósitos superiores e dos valores que o credenciem a *contratos de parceria e assistência* com vistas a tarefas maiores.

As relações são outras, inclusive na mediunidade. Tempos de parceria e cooperação ativa.

Na atualidade, a necessidade de comprovação e o despertamento limitam-se a contingências específicas de análise científica ou ao atendimento de situações regionais, conforme a cultura dos povos ou mesmo no cumprimento de programas de ressarcimento de medianeiros que palmilharam o terreno escuso da má utilização das forças medianímicas. Em outra contingência, poderá servir para evitar alguns inconvenientes a médiuns sérios.

A passividade dos medianeiros, mormente em se tratando de espíritas cristãos, só será desejável durante a comunicação, afora isso se espera uma posição ativa e parceira para a plantação conjunta da sementeira de bênçãos e ensinos, mensagens e livros que possam somar na espiritualização da humanidade.

Por isso mesmo, a relação entre médium e amigos espirituais alcançará o regime de amizade permanente, permitindo um vínculo que exigirá discernimento e aplicação para que esse relacionamento seja de molde a resultar em trabalhos úteis e consistentes.

Allan Kardec asseverou:

"O mesmo ocorre em nossas relações com os Espíritos. Quem quiser com eles instruir-se tem que com eles fazer um curso; mas, exatamente como se procede entre nós, deverá escolher seus professores e trabalhar com assiduidade"[15]

Essa recomendação nos faz recordar as bases da produção mediúnica, tais como reforma íntima, disciplina nos horários da escrita, adesão a grupo, estudo persistente, preparo físico, e todas aquelas conhecidas diretrizes de *O livro dos médiuns*, a fim de que o intermediário alcance o

---

15. *O livro dos Espíritos*, introdução, item VIII, FEB.

título de parceiro dos Espíritos, merecendo deles a assistência permanente por consignar a mediunidade como um *projeto de vida*.

Além desse roteiro prioritário, os médiuns psicógrafos aprenderão vários exercícios de promoção em face dessa parceria, que tornarão mais sólidos os resultados do labor e educação do intermediário para a sua consciência e a maturidade. Registremos alguns desses exercícios na instauração de um relacionamento afetuoso e solidário entre as sociedades dos dois mundos:

▸ A revisão assessorada dos textos: um serviço de supervisão para ampliação da percepção sobre os limites da filtragem, dilatando a consciência sobre as possíveis interferências e reconhecendo melhor os traços dos autores espirituais.

▸ A pesquisa indicada antecipadamente sobre o tema que será abordado: uma atuação indispensável para uma produção com maior amplitude de ângulos em temas que já tenham sido abordados por outros autores, por outros médiuns ou, ainda, para facilitar a construção de temas não explorados.

▸ O direito a sugerir assuntos para opinião e orientação dos Espíritos: exercício que ensejará ao médium avaliar sobre o interesse que guardam os desencarnados sobre esse ou aquele assunto, aprendendo a discernir seu interesse e a necessidade pessoal daquilo que é de cunho coletivo e faz parte do planejamento dos autores espirituais.

▸ A interação com os Espíritos na criação de uma síntese mental prévia à psicografia com os pontos elementares do texto a ser produzido: essa medida permitirá o diálogo mental sobre o tema a ser escrito e o nível de inferência de algumas análises de foro íntimo do médium, que poderão ser usadas pelos autores espirituais na linguagem e nas ideias, enriquecendo o conteúdo a partir de vivências recentes ou remotas do medianeiro, somando eficientemente para a riqueza do texto.

▸ E, por fim, o exercício mais significativo de todos, que se constitui em saber quando abrir mão de todos os exercícios anteriores e seguir outra rota de trabalho e produção, completamente norteada pelo sentimento e pela faculdade mediúnica em si, realizando a filtragem conforme o que acontece no instante de integração com os bons Espíritos.

Parceria é divisão de responsabilidade e, evidentemente, os exercícios mencionados requisitam do aprendiz a integração responsável com seus deveres de elevação, para consumar-se como autêntico parceiro. Parceria esperada, sobretudo, na educação de si mesmo, talhando as virtudes que o aproximarão com mais intensidade de seus benfeitores na rotina dos dias, inspirando-lhes confiança e disposição ao amor incondicional, conforme destaca Erasto e Timóteo em *O livro dos médiuns*, item 225:

"Por isso é que gostamos de achar médiuns bem adestrados, bem aparelhados, munidos de materiais prontos a serem utilizados, numa palavra: bons instrumentos, porque, então, o nosso perispírito, atuando sobre o daquele a quem mediunizamos, nada mais tem que fazer senão impulsionar a mão que nos serve de lapiseira, ou caneta, enquanto que, com os médiuns insuficientes, somos obrigados a um trabalho análogo ao que temos quando nos comunicamos mediante pancadas, isto é, formando, letra por letra, palavra por palavra, cada uma das frases que traduzem os pensamentos que vos queiramos transmitir".

∼

Meditemos:

O escritor espírita, seja encarnado ou desencarnado, quando entrega um livro ao público, está determinando o compromisso de buscar ser um mensageiro ativo e exemplificar ao máximo tudo o que escreveu.

Os exercícios psicográficos devem objetivar, além de tudo, a oportunidade da maior integração do médium com o grupo espiritual que o assessora; não se trata somente de trazer ideias para a ponta do lápis, mas de abrir a alma para novos aprendizados na consolidação de uma relação de parceria e responsabilidades mútuas.

O livro espírita é um cartão de visita que apresenta o seu autor ao mundo como sendo alguém em condições de assumir a restauração das ideias e dos sentimentos de quantos se sintam sintonizados com aquilo que ele escreve.

O conteúdo de um livro espírita será como uma bússola guiando o escritor na direção das comunidades com as quais se encontra comprometido perante os roteiros da lei de ação e reação.

capítulo 19

Apóstolos do espiritismo

"Deus procede, neste momento, ao censo dos seus servidores fiéis, e já marcou com o dedo aqueles cujo devotamento é apenas aparente, a fim de que não usurpem o salário dos servidores animosos, pois aos que não recuarem diante de suas tarefas é que ele vai confiar os postos mais difíceis na grande obra da regeneração pelo espiritismo. Cumprir-se-ão estas palavras: 'Os primeiros serão os últimos e os últimos serão os primeiros no reino dos céus.'"
— O ESPÍRITO DE VERDADE (Paris, 1862)
(*O evangelho segundo o espiritismo*, cap. XX, item 5)

Nos serviços abençoados da doutrina, encontramos expositores dispostos ao esclarecimento das multidões, passistas abnegados com enorme desejo de ser útil, dirigentes comprometidos que guardam com dignidade a condução das organizações com zelosa atitude de louvor, médiuns devotados que se oferecem como pontes inspiradas e reveladoras sobre os caminhos da espiritualização, pensadores coerentes que se dispõem a analisar ângulos sutis das questões mais controversas, cientistas apaixonados que se entregam a pesquisas que ampliaram os rumos dos princípios eternos do espiritismo e muitos outros servidores animosos nos mais variados quadros de trabalho e aprendizado cooperam pelo erguimento e pela expansão da mentalidade espírita entre a sociedade.

Todos são os cooperadores indispensáveis na construção dos tempos de renovação e avanço espiritual na grande obra do Senhor.

Entretanto, nossa condição espiritual não pode ser esquecida, se desejamos paz na alma e libertação pessoal de nossas próprias dores e necessidades: somos os trabalhadores da última hora, chamados ao serviço em regime de exceção. Em um planeta onde não existem sóis de grandeza moral, quem acende um pequeno palito de luz é chamado a trabalhar na tarefa de educar e servir, para que a obra de espiritualização da humanidade possa prosseguir.

Não dispomos de virtudes nem autoridade. Qualquer ilusão nesse sentido é mero desvio provocado pela imaturidade de nossas doenças da alma.

O expositor, o passista, o dirigente, o médium, o pensador, o cientista e os servidores animosos, todos, sem exceção, nas atividades da doutrina, temos contra nós uma extensa bagagem de arrogância e egoísmo a superar e transformar. Somos os discípulos dispostos ao recomeço. Raros, porém, se categorizam como apóstolos do Senhor ou, como denomina o Espírito Verdade, os Obreiros do Senhor.

O instrutor espiritual Emmanuel assevera:

> "Examinemos imparcialmente as atitudes que nos são peculiares nos próprios serviços do bem, de que somos cooperadores iniciantes, e observaremos que, mesmo aí, em assuntos da virtude, a nossa percentagem de capricho individual é invariavelmente enorme. (...) Nas obras do bem a que nos devotamos, estimamos, acima de tudo, os métodos e processos que se exteriorizam do nosso modo de ser e de entender, porquanto, se o serviço evolui ou se aperfeiçoa, refletindo o pensamento de outras personalidades acima da nossa, operamos, quase sem perceber, a diminuição do nosso interesse para com os trabalhos iniciados."[16]

O velho hábito de nos apropriar da Verdade continua operando por automatismo em nosso campo mental. Sob sua ação hipnótica e nociva, fixamo-nos no venenoso personalismo individual ou organizacional, cultuando a nós

---

16. *Fonte viva*, Emmanuel, Francisco Cândido Xavier, cap. 101, "Na cortina do 'eu'", FEB.

mesmos naquilo que fazemos, em lamentável e sutil crise de egoísmo.

A expressão mais palpável desse narcisismo é a arrogância deplorável, um corrosivo destruidor contra a diversidade das opiniões e a dilatação do leque dos horizontes da nossa santa doutrina.

O mesmo benfeitor Emmanuel, em *O evangelho segundo o espiritismo*, capítulo XI, item 11, já nos alertava contra essa doença básica de nossas almas:

> "O egoísmo é, pois, o alvo para o qual todos os verdadeiros crentes devem apontar suas armas, dirigir suas forças, sua coragem. Digo: coragem, porque dela muito mais necessita cada um para vencer a si mesmo, do que para vencer os outros". (Paris, 1861)

Mais do que cooperadores valorosos, o espiritismo necessita de apóstolos. Os apóstolos exemplificam, e assim o fazem porque têm como ponto de referência para suas atitudes o comportamento de Jesus, a quem chamamos Mestre e Senhor, mas que muitas vezes não nos lembramos em nossos momentos de insanidade personalista.

E nesse sentido, diante do quadro de nossas necessidades intensivas no campo moral e espiritual, convém-nos recordar dois exemplos inspirados e oportunos do Mestre, que são preciosas indicativas para quantos se contagiem com o sagrado objetivo de seguir-lhe os passos na sementeira atual do espiritismo. Reflitamos:

"E, respondendo João, disse: Mestre, vimos um que em teu nome expulsava os demônios, e lho proibimos, porque não te segue conosco. E Jesus lhes disse: Não o proibais, porque quem não é contra nós é por nós."[17]

Aqui encontramos um registro claro sobre como Jesus era um defensor da inclusão social e um admirador das diferenças, acolhendo a diversidade com respeito e espírito de compreensão. Sem nenhuma restrição de ordem filosófica a quem lhe usava o nome, incentivando a livre expressão e a criatividade em torno de seus métodos e de suas ideias.

"Mas eles calaram-se; porque pelo caminho tinham disputado entre si qual era o maior. E ele, assentando-se, chamou os doze, e disse-lhes: Se alguém quiser ser o primeiro, será o derradeiro de todos e o servo de todos."[18]

Neste trecho, ele deixa evidente qual o verdadeiro critério a ser observado para sermos considerados verdadeiros apóstolos de seus ensinos. Só pode ser *servo de todos* quem, de fato, não guarda pretensões pessoais, quem verdadeiramente encontrou-se e encontrou com a divina sensação de que participamos de algo, na Terra, que é muito maior do que qualquer rótulo ao qual venhamos a designar como manifestação da Verdade em nossas transitórias experiências e organizações.

---

17. Lucas, 9:49 e 50.
18. Marcos, 9:34 e 35.

Sem dúvida, as orientações do Mestre são claras. Cuidemos com muita atenção de nossas movimentações no bem da causa abençoada do espiritismo. Por conta de nossas mazelas milenares, é muito provável que alguns de nós assumamos a condição de supostos "apóstolos" do espiritismo sem nos fazermos apóstolos de Jesus.

capítulo 20

Oração pelos desafetos

"Livra-me, ó meu Deus, da ideia de o maldizer e de todo desejo malévolo contra ele. Faze que jamais me alegre com as desgraças que lhe cheguem, nem me desgoste com os bens que lhe poderão ser concedidos, a fim de não macular minha alma por pensamentos indignos de um cristão."
(*O evangelho segundo o espiritismo*, cap. XXVIII, item 47, "Prece pelos inimigos")

No capítulo das desafeições entre os homens, verificamos extensas medidas levadas a efeito pelos Espíritos protetores para atingir os objetivos da união e dos encontros no perdão e no amor.

Dizem os Instrutores Maiores que o amor aos inimigos ou desafetos constitui uma das mais difíceis lições para o Espírito nas rotas eternas de seu aprendizado.

Por essa razão, com muita frequência, a cooperação aos encarnados em provas mais intensas nos testes da desafeição é realizada por parte de variados corações que experimentaram as provas da aversão na Terra e das quais saíram vitoriosos e felizes.

Visitamos, ocasionalmente, um núcleo de apoio, cuja devotada servidora, sob a tutela direta de Judas Iscariotes, coordena sublime tarefa de amor nesse sentido. Adquirindo extensa folha de habilidades no perdão e na arte de conviver, Amália de Aragão, responsável pelo *Lar do Perdão*, trazia na alma sensível o halo energético do amor incondicional. Vitoriosa reencarnação nas fileiras das Abadias na Espanha do século XIX rendeu-lhe valor e resistência conciliados com amabilidade e ternura, dotes que a fazem rica de virtude e amor para com os tiranos e maldosos da humanidade.

Em oportuna visita, ela nos confidenciou experiências surpreendentes no terreno das reconciliações, relembrando o inesquecível ensino de Jesus: "concilia-te depressa com teu adversário, enquanto estás no caminho com ele (...)"[19]

---

19. Mateus, 5:25.

Acompanhamos, na ocasião, uma breve dissertação que ela fizera em favor de todos os que lhe visitavam a obra de amor, em torno da questão 414, de *O livro dos Espíritos,* que diz textualmente:

"Podem duas pessoas que se conhecem visitar-se durante o sono? Certo e muitos que julgam não se conhecerem costumam reunir-se e falar-se. Podes ter, sem que o suspeites, amigos em outro país. É tão habitual o fato de irdes encontrar-vos, durante o sono, com amigos e parentes, com os que conheceis e que vos podem ser úteis, que quase todas as noites fazeis essas visitas."

Segundo a nossa instrutora, aqueles que desejarem realmente aprender a amar os inimigos e encontrar caminhos para vencer as desafeições no mundo dos sentimentos deverão, periodicamente, ao anoitecer, recordar com fraternidade de seus oponentes, rogando a ajuda dos bons Espíritos no suporte aos ideais que sustentamos no bem, e repousar o corpo em estado de oração por todos eles. O exercício permitirá, quando as condições emocionais permitirem, os encontros noturnos pela emancipação do Espírito. Esses encontros serão farta fonte de recursos para o ato do reencontro quando despertos no corpo ou para a harmonização interior diante das perturbações causadas por antipatias ou desajustes na convivência.

A persistência e o nível de sinceridade em nossas petições noturnas e na conduta diária ante os desafetos serão responsáveis pela eficácia dos resultados, dando qualidade e elevação aos nossos desejos de conciliação e paz.

Amália explicou-nos que os quesitos para semelhantes encontros libertadores obedecem, exclusivamente, à presença da mínima réstia de sensibilidade no mundo afetivo dos adversários em crises de rivalidade. Ressaltou, ainda, que na maioria esmagadora dos casos de desafeição, infelizmente, seus integrantes se encontram no cativeiro do desamor, encharcados de egoísmo e atormentados pelo ódio. Isso, quase sempre, inviabiliza os contatos auspiciosos pelo sono físico, convocando os trabalhadores do além a um gênero oposto de tarefa, para não permitirem os desencontros que fazem da noite uma esfera de conflitos e um campo de combates.

Acompanhando Amália, a benfeitora do amor incondicional, presenciamos, no encerrar de sua humilde explanação, a prece com a qual ela enalteceu os elos entre os homens no campo da amizade, que poderá ser utilizada em nossos preparativos na busca da construção do perdão e da paz nas nossas relações. Assim, oremos juntos:

"Senhor, receba nossa gratidão pelos amigos que tua Bondade permitiu-nos encontrar nos caminhos da vida.

Sem eles, talvez, não entendêssemos o valor da tolerância.

Possivelmente, a vida seria vazia e sem cor perante as lutas de cada dia.

Não teríamos a quem passar um pouco do imenso amor com que tens nos beneficiado.

WANDERLEY OLIVEIRA | ERMANCE DUFAUX

Nós te louvamos, Senhor, por todos eles.

Mesmo por aqueles que decidiram adotar a opção da infidelidade e nos magoaram.

Que vislumbrando direções infelizes, deixaram-nos na saudade.

Que tiveram medo de confiar o suficiente nas nossas ações.

Que traíram as expectativas que a eles votávamos.

Se algo temos o direito de rogar-te, ante as bênçãos com que nos brindaste, permita-nos suplicar também pelos inimigos, aqueles amigos que desistiram de nos amar.

Rogamos pelos que gratuitamente não desejam entender nossas ações.

Pelos que não conseguem suficiente compreensão para as decisões que tomamos.

Pelos que acreditam que somos seus inimigos, sendo que nunca adotamos essa decisão.

Pelos que, infantilmente, se acham no direito e com autoridade de ter inimigos.

Pelos que se fazem nossos desafetos, para que entendam, o quanto antes, nossa condição de irmandade.

Pelos que nos lesaram e perturbaram o equilíbrio.

Por todos estes, Senhor, e também por nós, receba o nosso sincero pedido de paz, harmonia e força para o perdão.

Jesus, nosso Divino amigo, obrigado por tua amizade incondicional!"

capítulo

21

Simplicidade, admirável virtude

"Ele toma uma criança como tipo da simplicidade de coração e diz: "Será o maior no reino dos céus aquele que se humilhar e se fizer pequeno como uma criança, isto é, que nenhuma pretensão alimentar à superioridade ou à infalibilidade."
(*O evangelho segundo o espiritismo*, cap. VII, item 6)

Não foi sem razão que Jesus escolheu homens simples para a composição inicial de seu ministério de amor.

As pessoas dotadas de simplicidade são solidárias, prestativas, disponíveis, aptas a servir, porque nada exigem intimamente que lhes impeça a prontidão espiritual, a disposição de ser útil.

Parafraseando o dicionário humano, simplicidade é a qualidade do que é simples, do que não apresenta dificuldade nem obstáculo. Simplicidade, caráter próprio não modificado por elementos estranhos. Essas conceituações nos auxiliam em nossas ponderações doutrinárias, porque a simplicidade é a ausência do ego sombrio – o orgulho. Ser simples é não ser composto da adição de algo que nos faz complexo, tal como a vaidade.

Simplicidade é um estado de consciência no qual a criatura em processo de amadurecimento integral não se deixa encantar com o supérfluo da vida, sabendo manter sintonia constante com o essencial na manutenção de sua paz interior.

A solidariedade é mais espontânea e abundante naqueles que se comportam de maneira simples, graças ao fato de serem dotados de leveza no ser, livres das tensões das normas excessivas, provocadas pelos complexos mecanismos do orgulho, que os obriga a se apresentarem ao mundo como uma cópia irreal de si próprios.

O orgulho opera complicadas situações para a vida mental de todos nós. Estabeleçamos alguns reflexos costumeiros de sua presença:

- Criação de uma imagem superlativa e fictícia de si mesmo; um modelo mental artificial.
- Atitude de discriminação em razão desse modelo, fugindo da alteridade.
- Ausência de proximidade afetiva em função de padrões elevados de autoconceito.
- Tendência a ser complexo, perfeccionista e desculpista perante as próprias falhas.
- Excessiva preocupação com o que os outros pensam a seu respeito.

Somente esses itens, se estudados com mais atenção, são suficientes para comprovar a complexidade gerada pela formação desse ego sombrio.

Analisando seus efeitos perniciosos na vida espírita, encontraremos variadas manifestações de sua presença nas atividades de rotina e nas relações, realçando o personalismo que ainda nos escraviza, adiando ainda mais a aplicação da fraternidade legítima nos relacionamentos.

Um dos exemplos mais rotineiros nesse tema é a soberba, o orgulho do saber, que direciona a vida mental a acreditar que conhecimento, por si só, é referência de grandeza espiritual e libertação interior. Aprisionados a esse infeliz reflexo de egoísmo, muitos companheiros de ideal adotam sua visão e entendimento como a expressão da verdade, repetindo velho hábito pertinente à maioria de nós: enxergar o mundo por sua única e exclusiva ótica. Semelhante estado moral pode ser comparado a praga indesejável nas movimentações da gleba espírita.

Tomando por base os cincos itens analisados acima, façamos um apanhado de seus respectivos efeitos em nossas tarefas abençoadas:

- Personalismo declarado em forma de opiniões e entendimento pessoal sobre temas e acontecimentos.
- Exclusão de tudo e todos que não se ajustem à verdade pessoal.
- Mais "amor" a sua autoimagem do que às pessoas.
- Muito movimento e desgaste para pouco resultado.
- Expectativa acentuada de reconhecimento e compensações.

Devemos lembrar que a vida, hoje mais que nunca, inclina-nos à parceria e à cooperação como sendo o processo ideal de crescimento social e método educativo de insubstituível adequação, na criação de elos gratificantes entre os cidadãos de uma comunidade. De tal forma que a velha postura "professoral", centrada em elevada carga de preciosismo e individualismo, com opiniões fechadas e definitivas, são condutas que tendem a ser repelidas pela convivência no lar, na profissão, nas escolas e, evidentemente, também nas organizações espiritistas. A palavra de ordem das relações humanas hoje é troca, permuta. E por que não nomeá-las como relações solidárias?

Sendo assim, a simplicidade de comportamento no modo de ser tem lugar privilegiado na hora que passa.

A ausência da atitude de simplicidade tem tolhido os atos de fraternidade e solidariedade, destacadamente, entre quantos guardam maior responsabilidade na comunidade doutrinária, em razão da ampliada visão crítica que possuem na condução de grupos, levando-os a revanchismos ideológicos improdutivos na suposição de que seja essa a solução ideal para os conflitos, quando, em verdade, deveriam se fazer mensageiros solidários, estendendo propostas comprovadamente eficientes e de solidez ante os problemas que constatam.

Ser simples, porém, não deve ser confundido com ser iletrado, piegas, tolo, subserviente e relapso. A simplicidade é um estado íntimo de consciência do autovalor sem as ilusões fascinantes do orgulho, que projeta miragens de prepotência, megalomania e indisfarçável narcisismo.

Kardec, por exemplo, era um homem acadêmico extraordinariamente bem formado, um intelectual da era do positivismo em Paris, a capital da cultura humana à sua época; um escritor de pena rara, um educador que teve a chancela de um dos maiores nomes da arte de educar, que foi Pestalozzi. No entanto, o codificador era um coração simples, sem deixar de ser intelectualmente sóbrio. Era um homem espontâneo sem perder a vigilância. Isso porque a simplicidade não dispensa os cuidados com a atenção e a prevenção que devemos ter para com a nossa existência.

Jesus, o educador excelente, para ensinar sobre quem seria o maior no reino dos céus, tomou, interativamente, em meio a seus aprendizes, de uma criança, conferindo-lhes inesquecível lição sobre a simplicidade de coração, condição elementar para a maioridade espiritual. E João Batista, o fiel defensor da justiça, reconhecendo a grandeza do Mestre, declarou a sua conhecida e instrutiva frase "é necessário que eu diminua e que ele cresça",[20] entregando-nos uma das mais valorosas recomendações de segurança para a manutenção da simplicidade nas nossas ações, ante o serviço da causa de amor que assumimos em nossas vidas.

---

20. João, 3:30.

capítulo 22

Um minuto de atenção: dose diária de amor

"Nas grandes calamidades, a caridade se emociona e observam-se impulsos generosos no sentido de reparar os desastres. Mas, a par desses desastres gerais, há milhares de desastres particulares que passam despercebidos: os dos que jazem sobre um grabato sem se queixarem. Esses infortúnios discretos e ocultos são os que a verdadeira generosidade sabe descobrir, sem esperar que peçam assistência."
(*O evangelho segundo o espiritismo*, cap. XIII, item 4)

A devotada e amável dona Maria Pinto, servidora que atuou nas lides assistenciais de Belo Horizonte, solicitou-me enviar ao mundo físico as suas anotações instrutivas e libertadoras, o que fazemos com muito carinho.

"Naquela tarde, como de rotina, o Zé, vendedor de bilhetes da sorte, fazia sua visita àquela empresa.

Homem franzino, despenteado e de vestes rotas, dentes malcuidados, barba rala, quase um mendigo, de tez morena e sorriso largo.

Logo à porta, recebia a zomba do porteiro, à qual retribuía com um gracejo. Mais adiante, era a vez dos rapazes, tudo igual a todo dia: Olá Zé da cana! Olá Zé da sorte! Olá Zé... Eram sempre chacotas de ambas as partes para rechear o momento com agrados passageiros, e o Zé fazia o papel de bobo da corte para obter o mínimo de aceitação e poder chegar à sua meta.

Sua grande meta era Rosália, jovem senhora que sempre lhe comprava um bilhete e tinha o gesto incomum de permitir-lhe 'filar' um cafezinho no copo branco e descartável. Nada havia de mais agradável ao Zé do que aquela experiência.

— Obrigado, dona Rosália, amanhã eu volto, viu?

— Por nada, sr. José, estarei esperando.

O que era o Zé? Todos sabiam se tratar de um ambulante, mas quem era o Zé? Nunca ninguém indagou, nem sequer desejou fazê-lo. Quem será esse homem?

Certa tarde, ele chega e tem uma tremenda decepção:

— Cadê dona Rosália?

Alguém, sem nenhum interesse humano, responde-lhe que ela estará quinze dias afastada por problemas de saúde. E o Zé sai sorrindo e cantarolando, mas somente até o portão, porque tão logo ganhou a rua, ele começa a viver uma das experiências mais infelizes de toda a sua existência.

Durante quinze dias, o homem não mais apareceu, e ninguém o viu por lugar algum. Finda a quinzena, ele surge mais maltrapilho, odor fétido e sem o sorriso trivial:

— Cadê dona Rosália?

E, com muita frieza, recebe a resposta:

— Dona Rosália morreu.

— O quê? Não pode ser verdade!

— Sim, uma semana atrás ela pereceu.

— Para de brincadeira! É brincadeira, não é?

— Não, Zé, não é; tanto que ela pediu para lhe entregar isso, quando se encontrava no leito do hospital.

— Para mim?

— Sim, é para você.

Finda a conversa, o homem sai desconcertado e chocado, ao mesmo tempo em que a curiosidade o tomava relativamente quanto ao envelope deixado por Rosália.

Ele o abre e depara-se com dezenas de bilhetes de loteria, e junto a isso um recado de Rosália, que dizia:

— Meu bom sr. José, a morte está próxima para mim, e não posso partir sem deixar de me lembrar de todas as pessoas importantes na minha vida. O senhor é uma delas. Devolvo-lhe todos os bilhetes que adquiri em sua mão e que nunca foram conferidos, pois apenas os comprava por saber o quanto eram significativos para sua dignidade. Desculpe-me por nunca ter lhe dado mais que isso, mas nunca desista de resgatar sua honra e lute pela vida. Rosália.

O pior estava por vir. O Zé saiu atormentado e com sentimentos indefinidos. Foi-lhe um dia difícil.

José Pereira Altamirando, casado, pai de seis filhos pequerruchos, dono de pequeno pedaço de terra, saiu de seu estado nordestino quinze anos atrás e veio tentar a vida na capital em emprego arranjado, mas logo foi despedido. Tentou novas profissões humildes, o dinheiro acabou, não tinha onde morar, passou a viver na rua sem condições de regressar ao lar. Fez amizade com pessoas em condições semelhantes e a ilusão de conquistar algo o manteve, dia após dia, a tentar alguma coisa. Todavia, enquanto tudo isso ocorria, a saudade dos filhos o machucava. Não sabia escrever corretamente, os dentes caíam, a saúde periclitava, o tempo passava, a dignidade se perdia...

Quem é esse homem? Vamos saber?

Sem se realizar física, afetiva, social e espiritualmente, amoldou-se à vida social dos indignos. Bebia para esquecer, fumava para aliviar, fazia-se de bobo da corte para viver e se tornou o Zé das loterias. Seu mundo íntimo em destroços.

A rejeição social lhe impunha a condição de um mendigo de rua, e recebia a amostra da insensibilidade humana. Policiais impiedosos lhe faziam zombaria ou o espancavam com seu grupo, acusando-os de roubo urbano.

Então passou a mendigar, e a venda dos bilhetes era sua subsistência: um prato de almoço, sua cachaça, um banho semanal...

Com o tempo, os sonhos esvaíram-se e cederam lugar à realidade que ele teve de aceitar. A saudade transformou-se em sentimento enregelado, e a revolta converteu-se em atitudes de gracejo e trejeitos, a fim de que obtivesse a mínima aceitação de seu meio ao troco de ironias e sorrisos de escárnio.

Esse é o verdadeiro Zé que ninguém conhecia, mas que Rosália sentia. Mulher piedosa e sensível, não enxergava nele o vendedor, todavia um ser humano que, certamente, encontrava-se naquela condição não por escolha pessoal, e sabia que pessoas assim têm profundas carências de respeito, afeto e atenção.

Ela sabia que o Zé ia ali por causa dela, e tão somente por isso, mas ninguém se dava conta.

Tanto é verdade que no dia em que ela se ausentou, ele teve um colapso interno que nem a si próprio sabia explicar. No entanto, era somente a falta da sua dose diária de amor que não recebera.

Ninguém sabia, entretanto, que, assim como Rosália colecionou os bilhetes, o Zé colecionava os copos descartáveis de cada um dos dias em que esteve na repartição; e, noite após noite, sentindo uma saudade incomensurável, nessa altura do destrambelho emocional, nem sequer conseguindo identificar tratar-se desse sentimento, tomava a coleção dos copinhos e começava a lembrar a imagem de Rosália, dos filhos, da sua terra, e a dor ia apertando a ponto de, sem ter noções mais exatas do que lhe ocorria no mundo interior, não suportar e apelar para o seu 'anestésico alcoólico' para passar a dor, e então saía em atitudes teatrais e bizarras, tudo para fugir de si mesmo.

Esse era o Zé, um homem que teve seu nome encurtado, sua dignidade afogada, sua identidade integral consumida pela força das pressões e agressões da sociedade, que apenas carimba-lhe de vendedor de bilhetes."

∼

Os infortúnios ocultos estão ao nosso lado todos os dias, em todos os lugares.

Cabe ao verdadeiro espírita o dever de aprender a transpor limites com intuitos promocionais no campo das suas relações humanas.

Tenhamos inteligência e sensibilidade para que o nosso amor não esfrie diante de tanta instrução e para que a nossa bondade não desfaleça diante de tanta inquietude.

Saibamos ser um pouco da Rosália em todos os dias e em todos os lugares. E, seguindo a linha de raciocínios inspirados de Maria Pinto, observamos, com amor, que dentro de nossas próprias agremiações doutrinárias há uma multidão faminta chamada Zé, esperando de nós a atenção e o acolhimento.

As pessoas não estão querendo muito e nem precisam de muito; basta, quase sempre, um minuto de atenção. E que esse minuto seja usado para uma das ações mais terapêuticas do mundo moderno: levar o outro a sentir que ele pode ser útil e fazer algo de bom, mesmo na situação em que se encontra.

capítulo 23

A riqueza da diversidade nas relações humanas

"(...) as vicissitudes ordinárias da vida,
a diversidade dos gostos, dos pendores
e das necessidades, é esse também um meio
de vos aperfeiçoardes, exercitando-vos na
caridade. Com efeito, só a poder de concessões
e sacrifícios mútuos podeis conservar
a harmonia entre elementos tão diversos."
— ESPÍRITO PROTETOR (Cracóvia, 1861)
(*O evangelho segundo o espiritismo*, cap. XI, item 13)

Cada alma jornadeia para Deus a seu modo. Todos a Ele chegarão. É inevitável, não importa por qual caminho. Conquanto essa verdade, por teimosia egoística, queremos que todos palmilhem o nosso caminho, supondo-o ser o melhor e, algumas vezes, o único.

Cada individualidade, com suas peculiaridades, faz do universo uma riqueza incomensurável, uma diversidade de experiências singulares, tantas quantas são as pessoas.

A alteridade é isso, aquilo que é "outro", distinto, que pertence ao mundo alheio. O comportamento alteritário é a aplicação da harmonia interior naquilo que se distingue de nosso universo pessoal. A alteridade é assegurada pelo princípio da evolução, da Lei de Sociedade e da Lei de Igualdade à luz do espiritismo cristão. Todo o conjunto de Leis Naturais conspira a favor da convivência com as diferenças como caminho de busca para a completude.

Que seria de nós se fôssemos todos iguais? Quão pobre seria a vida não havendo nada por desvendar, nenhum desafio para compreender por meio das instigantes e variáveis motivações que levam cada ser humano a escolher e pensar, sentir e viver de forma diversa!

Costumamos tomar como imperfeições tudo aquilo que seja diverso da órbita de nossas concepções e interesses. A relação com o que é "outro" perde sinergia, porque, quase sempre, projetamos no "outro" o nosso eu, estabelecendo para nossa existência a redoma dos padrões nos quais vivemos enclausurados e desejosos de que todos a eles se ajustem.

A relação alteritária implica um mergulho no mundo do outro, saltando do trampolim de nosso eu em direção às águas desconhecidas do mundo alheio.

Conhecendo o outro, pesquisando sua jornada singular, penetramos em seu mundo e travamos contato com suas diferenças. Quando mantemos o amor em relação a esse movimento, isso é a alteridade.

> "Com efeito, só a poder de concessões e sacrifícios mútuos podeis conservar a harmonia entre elementos tão diversos."

A princípio, tudo será estranho, o outro é estranho, incômodo, mas a ética do bem sentido nos conduz ao clima interior da fraternidade, a ponte de sublimação para a alteridade entre esses dois mundos diferentes, diversos.

Na medida em que conseguimos a superação da paixão pelo eu, amealhamos as condições morais que norteiam o afeto e a inteligência para o altruísmo, a empatia, a assertividade – quesitos de alteridade vivida – e, então, com essa atitude, conhecer pessoas passará a constituir uma necessidade tão rica quanto se conhecer, porque estaremos louvando a riqueza da diversidade na vida.

Perceberemos, então, no campo das emoções, que diferenças são valores que impulsionam nossa caminhada, quando as tomamos por angulações diversas da forma pela qual costumamos focá-las, sob exame dos preconceitos.

Diferenças são riquezas, estímulo e nutrição afetiva.

Conviver fraternalmente com as diferenças é o caminho do respeito incondicional aos diferentes. Todavia, além de respeito, precisamos de ações alteritárias que demonstrem nossa predisposição para interagir e nos comunicar com os que veem o mundo com outras cores.

A ação alteritária terá de ser acompanhada da compreensão, a convicção íntima de que o que é "outro" representa uma parcela na Obra do Criador. Sem isso, nosso respeito não será mais que tolerância, virtude essa insuficiente para fazer do respeito a autêntica alteridade.

E essa compreensão alteritária é fruto da fé racional, única capaz de nos promover às condições que demarcam os limites úteis ante a diversidade nas relações interpessoais.

Por hábito adquirido, e isso é muito natural, gostamos de conviver com os que nos são afins, em relações que não nos custem despender esforços para o entendimento e, preferencialmente, entre pessoas que prezem nossas qualidades. A sabedoria divina, contudo, procede a reencarnação, matriculando-nos nas lições preciosas do lar e da sociedade em conformidade com as necessidades e os merecimentos que foram contabilizados pela consciência. E, nesses ambientes, nem sempre encontramos a afinidade e a simpatia no "jogo" das relações, faceando, muitas vezes, com desafetos e temperamentos contrários que nos exigirão o aprendizado da alteridade à custa de sofrimento, educação e tempo.

Nesses lugares-escola do mundo terreno, durante as vidas sucessivas, as diferenças que tomamos como incômodas e pelas quais acalentamos pertinaz indiferença, hostilidade e preconceito, retornam hoje a nosso círculo de convivência na forma de exigentes testes de aceitação e indulgência. Alguns perfis morais de variados níveis que mereceram, em outras eras, os juízos desprezíveis de nossa parte, regressam à nossa volta concitando-nos à paciência e à gratidão. Algumas pessoas, no auge de suas provas, alegam cansaço e ressentimento quanto às diferenças daqueles com os quais convivem, dizendo não suportar mais as imperfeições do outro, sendo que essa prisão aos quadros de contrariedade e desentendimento é o ambiente exato de aversão e insensibilidade d'outrora, nos quais ela menosprezou as mesmas diferenças, hoje qualificadas como defeitos.

Convivemos com quem precisamos e recebemos os diferentes e as diferenças que merecemos, segundo a lei de causa e efeito, sempre sob as augustas manifestações da misericórdia divina em favor do nosso aprendizado.

As diferenças são valores de aperfeiçoamento e melhoria em qualquer circunstância, desde que tenhamos a atitude alteritária. Quando decidimos tomar as diferenças como valores e os diferentes como mundos de complementaridade, temos o amor irradiando de nossa alma, são os prenúncios da plenitude e da felicidade.

Narra o evangelista Mateus, em seu capítulo 5, versículo 8: "Bem-aventurados os que têm puro o coração, eles verão a Deus".

Será que estamos vendo Deus em quem pensa diferentemente de nós? Será que O enxergamos nos caminhos diversos do mundo?

O próximo é um espelho do Criador quando temos com ele uma relação de autêntico amor.

"Que galardão tereis em amar os que vos amam?" Pergunta-nos o Mestre em Mateus, capítulo 5, versículo 46.

Amar não é apenas sentir algo de bom por alguém. Amar é atitude, é ação dinamizadora do bem em favor dos que nos rodeiam. Amor se prova, e não apenas se sente. É o amor paciência, o amor sacrifício, o amor alteridade, é o amor interação.

Jesus, na mesa da ceia com Judas, sabia que seria traído e lhe chamou a atenção, sem, contudo, deixar de amá-lo, enquanto nossa tendência é amar menos quem não nos agrada ou entende. O Senhor não foi excludente por saber das intenções infelizes do apóstolo distraído. Apesar do descuido pessoal de Judas, a alteridade de Jesus foi inclusiva, tão rica de ilimitado respeito ao pensamento do inexperiente aprendiz que acolheu a sua diversidade.

O amor ao próximo ensinado pelo Mestre é diferente de amar apenas aos iguais ou semelhantes.

Jesus, o magno exemplo de alteridade, quando na cruz com o ladrão, ainda encontrou forças, no último estágio de seu ciclo encarnatório, para conferir ao "outro" um destino honroso e solidário, demonstrando à multidão perversa que seus julgamentos inferiores não harmonizam com a verdade de Deus acerca de seus filhos, e que o Pai tem para cada um de nós uma missão gloriosa em sua obra, por mais inexpressiva que seja aos nossos olhos.

A ética de Jesus é um convite ao amor em plena diversidade. Ser espírita com Jesus é consolidar a atitude fraternal ante as diferenças do outro e celebrar a diversidade como sendo um traço de sua divindade na obra de sua criação, mantendo abundante riqueza de amor no coração.

Reconheçamos o valor de cada ser onde e como foi chamado a existir. Isso não significa que tenhamos de concordar com alguma diferença, mas apenas amar e aceitar os diferentes.

capítulo 24

Entrevista sobre naturalidade

1. Ermance, qual o conceito de naturalidade, tema bastante mencionado em seu livro?[21]

É agir de conformidade com a natureza individual. A naturalidade é um guia interior que traz em si a rota do progresso particular de cada Ser. É o caminho pessoal em direção ao Pai, porque somente tomando contato com ela conseguiremos entender nossa caminhada rumo ao progresso.

A naturalidade é algo inerente ao mapa pessoal de aptidões e caracteres que cada ser carrega em sua jornada evolutiva. Resulta do somatório de todas as conquistas morais e intelectuais adquiridas por meio de quedas e superações, e também das qualidades divinas nele depositadas pelo Pai, na caminhada da evolução, desde a criação.

2. Poderíamos dizer que a naturalidade é um instinto?

O instinto é algo divino que está na base dessa naturalidade. O instinto nos leva ao encontro dela. É uma das conquistas da evolução que estruturam o natural em cada um de nós.

3. A naturalidade seria, então, o jeito pessoal de ser?

Sim, e isso é o que a faz tão diversa e tão múltipla dentro das necessidades, interesses e comportamentos que carreia.

---

21. Entrevista realizada com a autora espiritual Ermance Dufaux pelo médium Wanderley Oliveira.

Existem graus de consciência que insculpem a identidade particular, única e intransferível. Uma espécie de digital espiritual. Sem expressá-la, estaremos na contramão do progresso. Nos reinos inferiores, a naturalidade se confunde com o estado de natureza, conforme destaca *O livro dos Espíritos*.[22] Todavia, alcançada a razão, o homem passa a contar com o raciocínio que lhe permite uma postura ativa diante de sua naturalidade, no intuito de ampliar o discernimento para usá-la em favor do cumprimento de seu mapa pessoal na obra divina.

4. Como entender a naturalidade na prática, dentro de nós?

É quando conseguimos ser quem somos, achar o trajeto ímpar, somente nosso, para progredir, distanciando-nos daquele "eu ideal" que, muitas vezes, nos é imposto pela vida de relação.

Quem segue sua naturalidade é alguém com uma percepção real de si mesmo, que se aceita como é, com todas as suas qualidades e também imperfeições, mantendo uma fidelidade pacífica em sua vida interior em relação a seu modo de crescer em direção a Deus.

Vivemos a naturalidade quando pedimos para avançar, e não quando cobramos para avançar.

A naturalidade só pode ser vivida por quem se ama e se aceita como é, fazendo o seu melhor na busca por

---

22. Questão 776, FEB.

manifestar sua luz pessoal. Somente o seu melhor, nada mais, nada menos.

5. Parece-me que a maioria de nós, na Terra, está fora dessa naturalidade.

A isso chamamos prova e expiação, isto é, a liberdade de ser quem somos tolhida em razão de nossas próprias criações no transcorrer das reencarnações.

6. Que criações são essas que nos tolhem?

O egoísmo é o pai de todas as criações que impedem a manifestação de nossa identidade cósmica, universal.

O pior efeito do egoísmo na vida mental é a idealização, nossa mania milenar de projetar mentalmente o que achamos que a vida e as pessoas devem ser.

Por meio desse comportamento, criamos, ao longo dos tempos, uma imagem ilusória de nós mesmos que nos retém na expiação da hipocrisia. Hoje, por conta dessa falsa imagem, organizada e cristalizada nos departamentos da imaginação na vida mental, debatemo-nos entre quem somos e quem gostaríamos de ser, experimentando alguns tipos de dor inerentes ao distanciamento que fizemos entre nossa identidade e autenticidade, tais como: insatisfação, abandono, tristeza, revolta, falsidade, desânimo, baixa estima, mágoa, inveja, medo e culpa.

Uma dilacerante sensação de inferioridade toma conta da maioria dos Espíritos na Terra, dentro e fora do corpo físico, em razão desse conflito entre a naturalidade, que grita na alma por expressão, e o ego, que estruturou uma identidade neurótica e doentia que nos causa dor e perturbação.

Ainda assim, a neurose é um jeito de ser. Merece compaixão e respeito. É uma diferença, conquanto escassa de naturalidade. Cumpre uma função dentro daquilo que desenvolvemos no trajeto das vidas sucessivas. É o modo como expressiva parcela da Humanidade consegue conviver com o que vive dentro de si. A neurose é o desajuste consigo mesmo e, quando projetada para fora, resulta em condutas de controle, rigidez, arrogância e personalismo.

7. Diante disso, pode ficar parecendo que a naturalidade, para nós que vivemos na Terra, toma uma nova feição. Ela passaria a ser a expressão de todas as nossas dificuldades e mazelas. Estou certo?

Naturalidade não significa viver como se é, agir como se quer, mas aceitar-se como se é, examinar e procurar uma relação de amor com o conflito interior, para depois, somente depois, estabelecer o que fazer de melhor para expressar nossa naturalidade e decidir, de forma singular, que caminho dar à manifestação individual das aptidões, tendências, necessidades, interesses e angústias.

A sombra negativa não é naturalidade. Faz parte dela. Será iluminada por ela a fim de permitir o desabrochar da identidade espiritual que define a singularidade.

A vivência sadia da naturalidade, para Espíritos comprometidos com a Lei Divina, requer submissão à disciplina, para que saibamos ajuizar com proveito o que nossa alma pede em relação à trilha pessoal, diante da manifestação de nossas características sombrias. Do contrário, seguir impulsos ou assumir a sombra particular por meio de atitudes do tipo "vou viver como quero", pode ser um caminho em desacordo com a naturalidade. A isso chamamos ilusão.

Para que nós, que compomos a família planetária de almas em regime provacional, vivamos a naturalidade, é necessário apresentar o mínimo de discernimento possível diante da mais angustiante pergunta existencial: o que eu quero da vida? Sendo que o querer, nesse caso, deverá estar em sincronia natural com aquilo que cada um tem de viver para ser melhor.

8. Como reconhecer quando estamos na nossa naturalidade?

Quando se dilata a aceitação de nós mesmos sem as tormentas das ilusões, assumimos nossa naturalidade. Experimentamos um clima de apaziguamento íntimo, toma-nos uma sensação de amadurecimento. Isso, necessariamente, não exclui a vivência da dúvida e da aflição, que podem ainda nos conduzir a muitos tropeços.

Nossa naturalidade é adotada quando passamos a ouvir mais o bom senso da nossa consciência, e quem inicia esse aprendizado adquire mais autonomia, segurança, coragem, disposição de compreender e paz interior.

Nesse sentido é que traçamos, nesse livro, apontamentos sobre conviver pacificamente com os diferentes e suas diferenças, porque nenhum de nós detém autoridade ou direito para gerir a vida alheia, mesmo das pessoas mais próximas e que mais amamos.

A Terra será um planeta educado no bem quando soubermos respeitar a diversidade alheia, ao invés de castrá-la. As escolas e os especialistas do futuro trabalharão para que o ser humano saiba como viver a sua diversidade com dignidade, cooperar para que a singularidade se expanda sempre na direção do bem de todos.

A naturalidade é algo que antecede e transcende a consanguinidade, a nacionalidade, a etnia e quaisquer outros padrões sociais. É algo inerente ao Espírito criado por Deus. É uma bússola de indicação da rota singular de cada ser. Não está conectada, em sua essência divina, com a educação ou o nível de informação, conquanto esses fatores sejam contributos que podem influir para amordaçá-la ou direcioná-la para seu fim divino.

Quando aprendemos o amor, inclusive a nós próprios, estamos no clima da naturalidade, inevitavelmente.

9. Se a naturalidade é tão valorosa para o progresso espiritual, os padrões cumprem algum papel útil ou apenas nos afastam da nossa singularidade?

Eles são necessários para regular o limite na vida social, entretanto, não existem padrões humanos capazes de impedir a eclosão do processo interior de manifestação da individualidade espiritual.

A natureza tem leis, princípios eternos. Os padrões são criações dos homens, portanto, transitórios.

Vejamos a questão 779, de *O livro dos Espíritos*, sobre esse assunto:

"A força para progredir, haure-a o homem em si mesmo, ou o progresso é apenas fruto de um ensinamento?"

O homem se desenvolve por si mesmo, naturalmente. Mas nem todos progridem simultaneamente e do mesmo modo. Dá-se, então, que os mais adiantados auxiliam o progresso dos outros, por meio do contato social."

O Evangelho, por sua vez, em Lucas, capítulo 12, versículo 2, assevera:

"Mas nada há encoberto que não haja de ser descoberto; nem oculto que não haja de ser sabido".

Faz parte das Leis Naturais o dinamismo de nossa identidade como Filhos do Criador. O Pai nos criou com uma "marca" pessoal, única.

O homem traz em si mesmo, como dizem os Sábios Guias da codificação, o impulso de avançar, de talhar seu caráter essencialmente incomparável.

Até certo ponto, os padrões servem como caminhos educativos, porém, a alma, em determinado instante da reencarnação, vai falar mais alto e contrapor àquilo que o ego elegeu como sendo bom para nós durante um período da vida no corpo físico, rompendo com o que nos foi imposto como norma social. Nesse passo da escola da vida, inicia-se a motivante jornada na busca de si mesmo, por meio da força íntima irradiante que persegue a solução do mais antigo enigma da humanidade: quem sou eu?

10. Diante desse tema sobre padrões, em relação à comunidade espírita, com suas atuais metodologias de ensino e formas de organizar as instituições não poderiam estar embaraçando esse processo da singularidade humana? O que pensar sobre isso?

Primeiramente, o respeito que devemos ter com os diferentes e suas diferenças. Essa forma de ser deve ser prestigiada com a fraternidade de nossa parte. Cada qual faz sua jornada vinculado ao que ainda necessita, do seu jeito de ser e fazer.

Em segundo lugar, são raríssimas as organizações e os métodos, na Terra, adequados para favorecer a expressão da naturalidade humana. Isso não acontece apenas na comunidade espírita.

Fique claro, entretanto, que quanto mais valor for dado aos padrões em detrimento dessa educação para ser quem somos, mais vai crescer a hipocrisia.

A doutrina espírita é uma ferramenta excepcional de libertação que será manejada por cada um de nós, de conformidade com as habilidades e necessidades inerentes a cada qual.

Não seria saudável, em se tratando de uma coletividade com tanta necessidade espiritual, abrir mão de padrões e da formalização das ideias, visando à ordem e à disciplina. Por outro lado, adotar uma conduta de rejeição ou exclusão com ausência de fraternidade contra quem já consegue fazer uma trilha pessoal fora dos limites daquilo que foi padronizado, é uma atitude tóxica e infeliz.

Existem muitos corações que vêm sofrendo o golpe da rejeição tão somente por ter sua forma peculiar de entender e viver os ensinos da doutrina. O fato de ser diverso não é sinônimo de menos-valia.

Jesus foi o maior exemplo que temos de singularidade, diversidade e naturalidade. Rompeu com todos os padrões, ao mesmo tempo em que soube prezá-los como parte integrante do processo evolutivo dos grupos.

Por conta da pressão dos padrões é que multidões inteiras terminam nos braços da hipocrisia, sem a força da autonomia, alienadas em sua opinião pessoal e, o pior, infelizes por dentro.

Quando os padrões têm mais valor que a essência, penetramos no conhecido e oportuno ensino do Mestre, em Marcos, capítulo 2, versículo 27:

"E disse-lhes: O sábado foi feito por causa do homem, e não o homem por causa do sábado".

11. Pode nos dar uma mensagem final sobre o tema desta entrevista?

As organizações humanas que se propõem a cooperar com a construção de alicerces para a regeneração no planeta Terra deverão, o quanto antes, ocuparem-se em desenvolver métodos e ferramentas apropriados às necessidades e habilidades dos Espíritos que estão renascendo no corpo físico nos dias atuais.

Trabalhar com propostas que atenderam à tipologia psicológica e emocional do ser humano no pós-guerra, diante da expressiva diversidade acolhida na Humanidade nos dias atuais, poderá trazer a sensação de frustração a quem se candidata ao dinamismo da proatividade nos núcleos de espiritualização humana.

A educação para a regeneração tem seu foco em revelar ao homem como fazer um movimento interior no desenvolvimento de sua luz. Se continuarmos ensinando as pessoas a como não errar, caminharemos na contramão do fluxo vibratório do terceiro milênio, cujo cerne consiste em educar para o como acertar.

As organizações regenerativas educam o homem para que aprenda a como colocar sua luz no velador, ao contrário daquelas que ainda se prendem ao ideal de reprimir os aspectos sombrios da personalidade. Quem anseia por entrar em comunhão com a essência do mundo de regeneração nos dias atuais terá foco na luminosidade do ser humano, e não em suas patologias.

Educar para ser. Ser quem se é. Ser quem se é com dignidade, com valor moral.

Se os grupos da nossa abençoada doutrina espírita, representados por seus prestimosos condutores, almejam servir na construção desse mundo mais pacífico e aprimorado, devem, cada dia mais, convergir para se tornarem escolas educativas do espírito, preparando o homem para ser alguém melhor, antes de tudo, que a si mesmo.

Educar para viver no bem: a que meta mais digna e bela pode se propor um centro espírita erguido em nome de Jesus e Kardec?

Educar para sentir o bem. E como fazer isso se não treinamos a arte de nos aceitar e aprender a nos respeitar em nossas particularidades?

Uma parcela dos atuais padrões que vigem no movimento espírita, conquanto seu valor social e doutrinário, em razão da forma como vêm sendo divulgados e interpretados, está a serviço da opressão à liberdade de pensar, portanto, contra a liberdade da consciência e a expansão da luz que cada um de nós trazemos em nós mesmos. O resultado não é algo salutar ao bem do ideal nem de quem se submete a esse processo que, em muitos casos, é alienador.

O tema foi alvo de algumas perguntas de Kardec em *O livro dos Espíritos*, das quais destacamos a questão 837:

"Que é o que resulta dos embaraços que se oponham à liberdade de consciência?

Constranger os homens a procederem em desacordo com o seu modo de pensar, fazê-los hipócritas. A liberdade de consciência é um dos caracteres da verdadeira civilização e do progresso."

O momento é decisivo ante as rápidas e necessárias transformações sociais e espirituais.

A doutrina espírita, riquíssima de valor e orientação, deverá alcançar a condição de sublime mapa para que cada criatura descubra seu trajeto singular por meio da vivência sadia de sua naturalidade.

Por esse motivo, para nossas almas aflitas por melhoria, a primeira lição a aprender na escola da regeneração será louvar e celebrar a diversidade humana com os mais luminosos sentimentos de gratidão e respeito pelos diferentes e suas diferenças, em qualquer lugar e em qualquer tempo, amando-os como são e lhes destinando nossas melhores palavras e atitudes nascidas no sentimento do bem.

epílogo

Como tratamos a rigidez no Hospital Esperança

"A rigidez mata os bons sentimentos;
o Cristo jamais se escusava; não repelia
aquele que o buscava, fosse quem fosse:
socorria assim a mulher adúltera, como
o criminoso; nunca temeu que a sua reputação
sofresse por isso. Quando o tomareis
por modelo de todas as vossas ações?"
— PASCAL (Sens, 1862)
(*O evangelho segundo o espiritismo*, cap. XI, item 12)

Era o dia de iniciar uma nova turma para o tratamento da rigidez de conduta em pacientes internados nas dependências educacionais do Hospital Esperança. Jovens, idosos, homens e mulheres de meia-idade estavam matriculados. Depois de passarem por variadas avaliações e de já guardarem uma mínima disposição de humor, os internos selecionados foram encaminhados aos grupos de reencontros específicos, com intuito terapêutico e educativo. Por alguns meses, seriam ministradas atividades de estudo, exercício mental e tarefas que se destinavam a recuperar a capacidade humana de adaptação e naturalidade na vida mental, especialmente na convivência.

Naquela manhã, iniciávamos uma turma com aproximadamente noventa internos, que tinham sido espíritas e guardavam necessidades semelhantes no campo da arrogância destrutiva. A maioria deles já havia criado episódios desconfortáveis aqui no Hospital com seus temperamentos ríspidos e exigentes. Todavia, agora, depois de uma etapa de adequação e orientados acerca de suas necessidades mais profundas, guardavam um clima emotivo mais controlado e acessível, um quadro de humor melhorado.

A nossa turma receberia Maria Modesto Cravo, chamada por nós todos apenas pelo apelido carinhoso que já trouxera da vida física, dona Modesta.

Competiam a ela os primeiros apontamentos iniciais na abertura do ciclo, que tinha uma programação para seis meses de atividades. Ela seria, também, uma espécie de "madrinha" daquele grupo, ficando sob sua responsabilidade algumas atividades periódicas que seriam realizadas durante os meses de tratamento. O grupo ficava em um formato de meia-lua, em três fileiras de trinta pessoas, permitindo ao explanador uma visão mais ampla e um contato mais próximo.

Após a oração e as apresentações, ela tomou a palavra.

— Meus filhos, um dia de muita paz em suas almas.

Vocês já estão devidamente esclarecidos e preparados para esse momento. Portanto, sem delongas, se tem algo que não vou usar em nosso encontro são as normas rígidas.

Eu tenho aqui nesta mesa um pequeno vaso de alabastro – e pegou a peça que estava em uma pequena mesa no centro da meia-lua, levando-a com as duas mãos até a altura da cabeça para mostrar ao grupo.

Aqui dentro está o remédio contra a doença da arrogância, mãe da rigidez. É um perfume que, uma vez inalado, é capaz de curar e libertar quem se aprisionou nas maciças correntes da inflexibilidade na conduta.

Este vaso está à disposição de vocês. O que vão fazer? – e deixou um silêncio no ar esperando a reação do grupo, colocando de volta o pequeno vaso sobre a mesa.

— Sintam-se à vontade para se manifestar.

Os alunos olhavam para o vaso e para dona Modesta com uma expressão de estranheza no rosto. Era como se não tivessem entendido a proposta. Um silêncio total na sala. Por fim, começaram a se sentir incomodados, quando dona Modesta instigou:

— Porventura, esperavam que eu viesse aqui fazer palestra?

— Que bom que a senhora deu essa brecha! – expressou-se Carvalho, um severo tarefeiro das fileiras organizacionais do movimento espírita.

— Pois não, meu irmão!

— Mesmo tendo sido orientado parcialmente sobre o que aconteceria aqui, tenho uma enorme dificuldade de me adaptar a esse estilo informal de vocês.

— Qual é seu nome, meu irmão?

— Carvalho! – respondeu formalmente.

— Senhor Carvalho, por que diz que foi informado parcialmente sobre nosso curso?

— Eu já tive oportunidade de perguntar a vários dos presentes aqui, e assim como eu, nada sabem do objetivo do evento, quem nos ministraria...

— E o que lhe foi dito?

— Que passaríamos por um curso indispensável ao nosso tratamento.

— Tratamento de quê?

— De rigidez! – falou com certo ar de ostentação e deboche, típica reação da personalidade rígida.

— O senhor se acha uma pessoa rígida, senhor Carvalho?

— Com certeza.

— E deseja mudar?

— Acho que sim.

WANDERLEY OLIVEIRA | ERMANCE DUFAUX

— O senhor tem ideia do que precisa uma pessoa para transformar sua rigidez?

— Não faço a mínima ideia! - respondeu, assumindo decididamente uma postura de desinteresse.

— Pois bem! - disse dona Modesta, completamente serena e confiante. - Então eu quero que o senhor venha até aqui na frente e me responda: o que senhor vai fazer com o vaso?

Ele se deslocou, aproximou-se do vaso, e disse:

— Acho que eu beberia tudo o que está aí dentro!

— Qualquer pessoa pensaria nisso!

— É o que eu faria.

— Por favor, volte ao seu lugar.

— Alguém mais quer me responder? - havia um clima quase indefinível na sala. A sensação de ausência de começo, meio e fim ou, quem sabe, uma pergunta silenciosa: "o que está acontecendo aqui?"

— Eu quero falar o que faria!

— Diga.

— Já que é um perfume, eu o inalaria todos os dias até acabar.

— Qualquer pessoa pensaria nisso!

— Eu tomaria o suficiente para mim e daria um pouco aos outros.

— Sim, uma boa ação, mas qualquer pessoa pensaria nisso!

Quando a pergunta foi repetida pela terceira vez com a mesma resposta, o senhor Carvalho não se conteve e disse:

— O que a senhora espera, afinal?

— Uma boa resposta.

— Então eu tenho uma.

— Fale.

— Se nesse vaso está um remédio, é porque somos todos doentes da alma, e como já dizia Jesus... — e ele divagou por pelo menos quatro minutos sobre filosofia espírita e ideias metafísicas, realizando uma autêntica viagem pelas respostas vazias de conteúdo.

— Sim, senhor Carvalho, o senhor tem razão, mas qualquer pessoa pensaria nisso — mais uma vez expressou a benfeitora, que manteve o olhar fixo e instigante em cada um dos presentes.

Por várias vezes, ainda outros presentes davam suas opiniões e recebiam a mesma resposta. O clima já beirava a irritação quando um dos presentes, que se mantinha pensativo e cabisbaixo, indagou:

— A senhora me desculpe se o que farei é rigidez. Mas sua pergunta é o que faríamos com o vaso, não é? Então, desculpe-me por minha atitude, mas se aí dentro tem o remédio para minha doença, eu quero tomá-lo agora.

Ele se levantou, foi até a mesa, ergueu o vaso com as mãos e soltou-o em cima da mesa, quebrando-o em várias partes. Um perfume se espalhou pelo ambiente com rapidez incomum. Ao ser inalado, todos começaram a arfar a respiração. O aroma era de uma docilidade incomparável, ao mesmo tempo em que guardava uma espécie de capacidade de penetrar profundamente na alma, algo que chegava a doer e logo aliviava. Como se rasgasse as entranhas do sentimento, colocando para fora um peso que, indesejavelmente, era carregado pelos alunos presentes.

Em poucos instantes, vários alunos começaram a manifestar uma emotividade incontrolável, até mesmo o senhor Carvalho lacrimejava sem conseguir se conter. Dona Modesta, percebendo o ocorrido, passou um olhar atencioso em todos e indagou:

— O que está acontecendo com sua alma, senhor Carvalho?

— Não sei, dona Modesta. Estou mais confuso que antes – respondeu com a voz nitidamente embargada.

— Compreendo!

Foram apenas alguns segundos entre o momento da quebra do vaso e a pergunta feita por dona Modesta, mas tudo parecia uma eternidade para os que ali se encontravam. A sensação era de perda de referência em relação a tempo e espaço. Todos pareciam um pouco "fora de si" ou profundamente voltados para dentro de si mesmos. Como se não quisesse delongar aquele estado, retomou dona Modesta:

— Esse é o perfume da essência de nardo adicionado do magnetismo dos lírios de Erípedes Barsanulfo,[23] uma medicação cujo propósito é a expressão da força interna da naturalidade, a energia pura do Ser que o capacita a sentir Deus. O que vocês estão sentindo agora talvez não tenham experimentado em nenhum momento da recém-finda trajetória reencarnatória. O perfume preparado com essências superiores é uma reprodução daquele derramado sobre a cabeça de Jesus, como narra Marcos, no capítulo 14, versículo 3:

"E, estando ele em Betânia, assentado à mesa, em casa de Simão, o leproso, veio uma mulher, que trazia um vaso de alabastro, com unguento de nardo puro, de muito preço e, quebrando o vaso, lho derramou sobre a cabeça".

O ato aparentemente impensado de nosso irmão, ao quebrar o vaso, foi um gesto de naturalidade contrário à rigidez, que organiza na vida mental um conjunto de ideias conclusivas sobre o que é e como devemos viver a vida, subtraindo-nos a *criatividade e a habilidade de compreender* que formam o alicerce do ato de existir. Foi um gesto incomum que nasceu nas profundezas da alma

---

23. Na obra *Lírios de esperança* são mencionados os canteiros de lírios cultivados pelo benfeitor Erípedes Barsanulfo nos jardins do Hospital Esperança.

clamando por uma ação fora dos padrões rígidos do que é certo ou errado.

A rigidez, em nosso plano, é considerada uma doença grave, meus filhos. Ela intoxica o doente e é capaz de espalhar seu halo destrutivo a quantos fazem parte de sua vida social, disseminando o desrespeito, a intolerância, a agressividade e a descrença pelos caminhos da desesperança.

Pessoas rígidas condicionaram-se, nas reencarnações passadas, a idealizar a existência, distanciando-se do que verdadeiramente sentem, e durante a atual infância tiveram essa tendência reforçada. São rebeldes em aceitar as diferenças e também os diferentes por não se encaixarem em sua escala de valores, quase sempre perfeccionista.

Levante a mão, neste grupo, caso exista alguém que não tenha conhecido o espiritismo – e todos ficaram quietos, guardando agora outro estado de espírito, mais acessíveis e calmos.

Tivemos, todos nós, essa bênção em nossa última existência carnal. Ainda assim, com tanta beleza e profundidade nos conceitos que assimilamos, não conseguimos domar a nossa tendência de controladores da vida.

Eu pergunto aos amigos queridos: com que palavra poderíamos definir nosso descuido no terreno moral para abrigarmos tanta rigidez?

— Invigilância! – expressou uma mulher.
— Vaidade! – disse um cavalheiro.

Depois de várias participações, complementou dona Modesta:

— Tudo o que vocês disseram faz parte de nossa caminhada. Todavia, o núcleo de nossas lutas espirituais em assuntos de rigidez é o egoísmo, esse sentimento é um vírus contagiante que espalha à nossa volta os sintomas da arrogância. Dominados pela arrogância, apegamo-nos apaixonadamente às nossas referências sobre o que é a verdade e desenvolvemos o comportamento de rigor e inflexibilidade.

Todos temos o direito de pensar e viver como melhor nos apraz, mas quando enrijecemos a conduta, certamente semearemos ervas daninhas no solo da convivência, colhendo uma vida de dissabores, inimizades, discórdia e ódio.

Os rígidos *pensam* o mundo e a vida. Não percebem o quanto desrespeitam o outro por não aceitarem a diferença, e também se desrespeitam, ultrapassando todos os limites, cobrando excessivamente de si mesmos em permanente conflito interior.

Foi exatamente isso que a essência de nardo e dos lírios lhes provocou na intimidade, ou seja, a ausência do sentimento de conflito, infundindo-lhes esse estado que agora experimentam de serenidade, pacificação mental e sossego por dentro.

Pessoas pacificadas na alma são flexíveis. Não têm apegos intransigentes. Respeitam os diferentes porque conseguem romper a carapaça do egoísmo e fazer contato com o sentimento de universalismo em seu coração. Sentimento esse que nós conhecemos nos ambientes da doutrina espírita como fraternidade legítima.

Vocês estão sob o efeito divino da essência e sentem um enorme desejo de compreensão, entendimento e amorosidade. Nesse clima espiritual, qualquer criatura é capaz de amar e manifestar incondicional acolhimento às particularidades alheias, ainda que com elas não concorde. Sob os auspícios da fraternidade, somos capazes de aceitar a vida como ela é e os nossos diferentes como são, respeitando-lhes as escolhas por atitudes e palavras de bondade e sabedoria.

Fraternidade e rigidez são incompatíveis. Quem escolhe trilhar as exaustivas e pedregosas estradas da intransigência nos hábitos e nas relações, obviamente decreta a si mesmo a dolorosa vivência no cativeiro da pobreza afetiva e da rispidez, expulsando os melhores sentimentos que poderia gerar em favor do bem de todos.

Em síntese, as personalidades rígidas são adoecidas de rebeldia. São teimosos renitentes. Rebeldia com a existência por ela ser como é. Afastaram-se da obediência ao ritmo da naturalidade divina que pulsa em tudo e em todos e, por isso mesmo, tombaram nos braços do autoritarismo viciante com extrema e neurótica necessidade de controle sobre tudo, porque acreditam que seu modo de entender e suas crenças refletem a única verdade sobre a vida e o viver. Sofrem o delírio da supremacia. Sua vida mental é um alicerce que prepara uma depressão severa para o futuro, quando não se disponham a dar novos rumos educacionais ao seu mundo afetivo.

Vocês querem me dizer algo diante dessas considerações? – dirigiu-se, dona Modesta, com carinho, aos alunos que pareciam embriagados com sua fala.

— Permita-me um aparte, dona Modesta — expressou o senhor Carvalho.

— Fale, meu irmão!

— Eu não me lembro de ter sentido, algum dia, o que estou sentindo agora. Parece que fui anestesiado. Sinto-me, com o perdão da palavra, meio abobalhado.

— O que o senhor faria nesse estado?

— Nem gostaria de falar. É algo muito tolo.

— Siga sua naturalidade, senhor Carvalho, pelo menos neste instante.

— Não, dona Modesta. Prefiro não seguir. Eu me sentiria muito falso por não tomar atitudes habituais na minha conduta. Sempre fui um homem de poucas palavras e gestos contidos. Eu gostaria de lhe endereçar algumas dúvidas que me surgem na cabeça. Posso?

— Exponha-as!

— Como chamar o que estou sentindo? Qual é o efeito desse perfume?

— Esse sentimento de paz, senhor Carvalho, chama-se liberdade espiritual. Liberdade do ego, que é o gerente supremo das personalidades rígidas.

— Eu, realmente, fui muito rígido durante toda a minha existência. Nem por isso lesei alguém, passei alguém para trás ou prejudiquei qualquer pessoa. Acho que fui mais rígido comigo que nas minhas relações. Isso é doença?

— Das mais graves, meu irmão. A rigidez tem máscaras muito sutis e várias formas de manifestação. Além disso, uma das propriedades psíquicas da rigidez é nublar a visão racional, impedindo de enxergar o quanto a austeridade pode ser nociva a outrem.

— Mas, que me lembre, intencionalmente, nunca desrespeitei ninguém ou fui mau com minha rigidez.

— Acredito na sua intenção. Aliás, quase sempre as personalidades arrogantes são muito bem-intencionadas. Todavia, não conseguem aquilatar o quanto pesam na vida social com seu procedimento. O senhor, por exemplo, foi teimoso?

— Demasiadamente! Desde a infância.

— Então, certamente não tem a menor noção do quanto isso pode ter ferido as pessoas à sua volta, permita-me ponderar assim com sinceridade.

— Fique à vontade, dona Modesta. Do jeito que estou me sentindo, acho que podem falar o que quiser de mim que nem vou dar importância.

— Pessoas rígidas, mesmo com nobres valores morais, ainda que abertas a novas ideias, perdem, quase sempre, a noção entre determinação e radicalismo, coragem e abuso, esforço e limite, devotamento e personalismo, disciplina e rispidez. O apego ao ego transforma a determinação em teimosia, a coragem em imprudência, o esforço em crueldade, o devotamento em necessidade de reconhecimento, a disciplina em autoritarismo.

— É! Falando desse jeito, eu realmente me enquadro como um homem do mal.

— Do mal não, senhor Carvalho. Um homem egoísta. Nossa doença de base: egoísmo. É por conta desse sentimento que muitos religiosos, incluindo muitos de nós, afinizados com a bênção do espiritismo, só conseguem amar quem pensa como eles. Só conseguimos gostar de quem se alinha aos nossos ideais. O egoísmo é uma caminhada na direção oposta à fraternidade, porque o egoísta só consegue sustentar bons sentimentos quando seus interesses pessoais não são contrariados. Havendo uma nesga de desapontamento, arrefece sua vida afetiva em relação a quem lhe não atendeu aos quesitos ou referências de valor. Diferenças e diferentes, no dicionário da rigidez, na maioria dos casos, significam oposição, irresponsabilidade, desobediência, ofensa, perturbação ou obsessão.

Em nosso caso, como espíritas, quando tomados pela rigidez, adotamos parâmetros que são aprovados pela comunidade, pelos líderes respeitáveis e pelas instituições consagradas como sendo a referência única de verdade e, embora bem-intencionados em relação ao espiritismo, cometemos o disparate de amar a causa sem amar o alvo da causa. Conforme a referência evangélica narrada em Marcos, capítulo 2, versículo 27:

> "E disse-lhes: O sábado foi feito por causa do homem, e não o homem por causa do sábado"

Invertemos a ordem natural e damos mais importância às regras, às normas, aos conceitos, à tradição representados pelo sábado do que ao homem com suas necessidades e particularidades.

E, nesse clima de rigor, matamos os melhores sentimentos cultivando uma hostilidade tóxica com quem não se encaixa nos padrões do sábado, a exemplo dos seguidores severos da Lei Mosaica ao tempo de Jesus.

A mulher que derramou o perfume sobre a cabeça do Cristo foi considerada louca por desperdiçar tão preciosa essência, devassa por querer conquistar e agradar a Jesus, inconveniente por enxugar, com seus cabelos, os pés do Mestre. Ela, porém, manifestou sua naturalidade, foi única, e recebeu total aprovação do Senhor. Enquanto todos a recriminavam, Jesus a abençoou, contando para todos os presentes, na ocasião, a belíssima passagem do Credor Compassivo, como narra Lucas, capítulo 7, versículos 37 a 50.

Compreendeu, meu irmão?

— Compreendi muito bem! Sinto-me um Fariseu diante da fala da senhora. Nem sei, se não fosse a "magia" desse perfume, se estaria falando alguma coisa, porque sempre fui muito calado, preferia ficar com meus pontos de entendimento a ter de discutir.

— E, se o senhor nada falasse, como se sentiria em relação a mim?

— Com certeza, eu já a teria julgado com meus parâmetros como sendo uma incentivadora da perturbação por se posicionar de modo tão aberto em relação aos assuntos aqui ventilados.

— Ainda não me respondeu. Qual seria seu sentimento?

— Indiferença.

— Exatamente! A indiferença é a negação da diferença. É o sentimento que abre o caminho para instalar no pensamento as inúmeras justificativas e razões pelas quais devemos manter distância afetiva dos diferentes. É por isso que indaga Pascal:

> "A rigidez mata os bons sentimentos; o Cristo jamais se escusava; não repelia aquele que o buscava, fosse quem fosse: socorria assim a mulher adúltera, como o criminoso; nunca temeu que a sua reputação sofresse por isso. Quando o tomareis por modelo de todas as vossas ações?"[24]

— Eu desencarnei com pouco mais de setenta janeiros. Na última década de minha vida carnal, fiquei com o "coração muito mole". Nada que se compare ao que sinto

---

24. *O evangelho segundo o espiritismo*, cap. XI, item 12.

aqui agora, mas fiquei mais sensível e comecei a pensar muito em ideias parecidas com as que a senhora nos expõe, conquanto, na dúvida em admiti-las, tenha preferido a indiferença.

— E qual foi o sentimento que o dominou quando começou a "amolecer" seu coração?

— Uma nítida sensação de perda de tempo por ter usado tanta energia na vida e não ter deixado a vida fluir numa compulsiva necessidade de controlar. Talvez seja isso o que a senhora chame de naturalidade.

— Naturalidade, senhor Carvalho, é aceitação. Significa aprender a seguir o ritmo de Deus, que pulsa em cada um de nós, e entrar em sintonia com o mapa pessoal e intransferível estampado em nossa existência na fieira da evolução. Naturalidade é aderir, sem resistência, ao fluxo dos acontecimentos, depois de já haver feito a nossa parte naquilo que nos compete perante deveres, fatos e experiências da vida.

Todos vocês aqui presentes farão exercícios mentais e atividades cooperativas aqui no Hospital Esperança, visando a desenvolver esse traço em suas mentes e seus corações.

A vivência do vaso de alabastro, com esse perfume bendito que nos cria essa atmosfera de paz no espírito, é apenas o início de uma longa e paciente educação a que todos serão convidados.

Esperam-vos alguns serviços singelos, mas de grande alcance educativo, junto à natureza e nos núcleos redentores das alas inferiores desta casa de amor, nos quais tomarão contato com este lado da vida e de si mesmos. Conhecerão de perto as raízes das dores humanas que levaram multidões a se aprisionar nas teias de suas próprias criações. São pais, mães, filhos, operários, líderes e todo um variado contingente de pessoas, nas suas mais vastas obrigações terrenas, que trilharam as vielas da queda consciencial. Não tiveram nem tempo para organizar preconceito ou rigidez, porque a vida, com seu ritmo inestancável, enquadrou-os nas tormentas das provas e expiações, suprimindo deles o poder de escolha.

Esses panoramas que passam como dramas sutis à maioria das pessoas, quando encarnadas, poderão ser examinados aqui com profundidade e sabedoria. Além de cooperarem com tais necessidades, encontrarão elementos de sobra para a autorreflexão de suas necessidades pessoais.

Entre os exercícios programados para o tratamento, serão levados a visitas, no plano físico, a muitos lares e organizações, de conformidade com o tipo de seus traços de rigidez em particular. Quando começarem a radiografar sua arrogância individual, se iniciará uma etapa de tristeza e dor, arrependimento e culpa. Serão assistidos, permanentemente, por nossos técnicos da saúde mental e emocional por meio de psicoterapias e ações terapêuticas sociais.

Meu papel aqui, hoje, é apenas dar o primeiro passo. Outros instrutores benevolentes e sábios vão conduzi-los a efetivas cirurgias na alma, porque já no próximo encontro semanal será inaugurada a "tribuna da humildade"[25] neste curso.

Para os que não sabem, aqui onde está esta mesa com nosso vaso espedaçado será colocado um púlpito de vidro, que será a ferramenta mais educativa diante de suas enfermidades. Por isso, comecem a preparar sua vida mental a fim de ocuparem, quantas vezes puderem durante o curso, esse lugar sagrado, no qual falarão de suas lutas, relaxando um tanto mais a implacável cobrança que infligem a si mesmos.

Vocês serão corrigidos em público, terão de falar de seus sentimentos diante de todos. Parece cruel e desumano, à primeira vista. Contudo, será feito por especialistas fraternos e conscientes que aprenderam a converter sua rigidez pessoal em poder de encorajamento e sensibilidade fraternal.

O que uma pessoa rígida mais necessita, na verdade, é disto: desnudar-se de suas armaduras criadas para protegê-la de sua fragilidade e sensação de desvalia. Quando um arrogante chora, a vida bate palmas. Não falo do choro das lágrimas, mas daquele que nasce das profundezas da

---

25. Atividade descrita no livro *Lírios de esperança*, cap. 23, DUFAUX.

alma, que pede humildemente, depois de muito sofrer: eu preciso de ajuda! Misericórdia!

Quando a palavra misericórdia é pronunciada pelo coração em algum momento da vida, seja por pessoas rígidas ou não, estamos abrindo a porta da vida mental para compreender melhor os dramas que nos cercam e amar legitimamente.

Espero encontrá-los nas leiras de serviço do Hospital em condições de pacificação interior e libertação de suas dores, aptos a amar incondicionalmente os diferentes e suas diferenças, adotando a misericórdia como paradigma de suas existências.

Podem se levantar agora e, calmamente, passar a mão sobre o líquido derramado do vaso, ungindo suas cabeças, assim como fez a mulher com Jesus, e experimentem a leveza da vida.

Paz em seus corações e sejam muito felizes!

Após as considerações sábias de dona Modesta, todos se levantaram ainda sob forte efeito pacificante do perfume de nardo-lírio. Reinava absoluto silêncio.

Dona Modesta, discretamente, saiu por uma porta, logo após a saudação coletiva. Fazia parte da técnica deixá-los entregues a si mesmos. Foi tocado no piano o *Concerto N.º 5, in F Minor, Largo*, de Bach. O ambiente era indescritível. A leveza tomava conta de todos, e assim iniciávamos mais uma etapa de aprendizado em busca de Deus, resgatando-O das celas escuras e frias do egoísmo destruidor pelo aprendizado infinito do amor que nos inclina a aceitar o ritmo do Pai na vida e no semelhante.

Iniciávamos mais uma etapa de aprendizado em busca de Deus, resgatando-O das celas escuras e frias do egoísmo

destruidor pelo aprendizado infinito do amor que nos inclina a aceitar o ritmo do Pai na vida e no semelhante.

Ficha Técnica

título
*Diferebças não são defeitos
a riqueza da diversidade
nas relações humanas*

autoria
*Espírito Ermance Dufaux
psicografado por
Wanderley Oliveira*

edição
1ª

editora
Dufaux (Belo Horizonte MG)

ISBN
978-85-63365-21-7

páginas
280

tamanho miolo
16x23

coordenação e preparação de originais
Maria José da Costa

capa
Wanderley Oliveira

revisão
Mary Ferrarini

anínúcios/cadastro
Ary Dourado

projeto gráfico & diagramação
Wanderley Oliveira

composição
*Adobe InDesign CC 2018
(plataforma Windows 7)*

tipografia
*Texto principal em Calluna 12/17
Título: em Museo Slab 500 24/24
Notas de rodapé: em Calluna 10/13
Epígrafes em Museo Slab 12/17*

mancha
10x16,5cm, 28 linhas

margens
*2,5 cm: 2,5 cm: 3,5 cm: 2,5 cm
(superior:inferior:interna;externa)*

Papel
*Miolo em Pólen 80g/m2
Capa Supremo 250 g/m2*

Cores
*Miolo 1x1 cores CMYK
Capa em 4x0 cores CMYK*

Impressão
AtualDV

Acabamento
*Miolo: brochura, cadernos colados.
Capa: brochura, laminação BOPP fosca*

Tiragem
Sob Demanda

Produção
Fevereiro/2022

NOSSAS PUBLICAÇÕES

SÉRIE AUTOCONHECIMENTO

DEPRESSÃO E AUTOCONHECIMENTO - COMO EXTRAIR PRECIOSAS LIÇÕES DESSA DOR

A proposta de tratamento complementar da depressão aqui abordada tem como foco a educação para lidar com nossa dor, que muito antes de ser mental, é moral.

Wanderley Oliveira
16 x 23 cm
235 páginas

ebook

FALA, PRETO VELHO

Um roteiro de autoproteção energética através do autoamor. Os textos aqui desenvolvidos permitem construir nossa proteção interior por meio de condutas amorosas e posturas mentais positivas, para criação de um ambiente energético protetor ao redor de nossas vidas.

Wanderley Oliveira | Pai João de Angola
16 x 23 cm
291 páginas

ebook

QUAL A MEDIDA DO SEU AMOR?

Propõe revermos nossa forma de amar, pois estamos mais próximos de uma visão particularista do que de uma vivência autêntica desse sentimento. Superar limites, cultivar relações saudáveis e vencer barreiras emocionais são alguns dos exercícios na construção desse novo olhar.

Wanderley Oliveira | Ermance Dufaux
16 x 23 cm
208 páginas

APAIXONE-SE POR VOCÊ

Você já ouviu alguém dizer para outra pessoa: "minha vida é você"?
Enquanto o eixo de sua sustentação psicológica for outra pessoa, a sua vida estará sempre ameaçada, pois o medo da perda vai rondar seus passos a cada minuto.

Wanderley Oliveira
16 x 23 cm
152 páginas

A VERDADE ALÉM DAS APARÊNCIAS - O UNIVERSO INTERIOR

Liberte-se da ansiedade e da angústia, direcionando o seu espírito para o único tempo que realmente importa: o presente. Nele você pode construir um novo olhar, amplo e consciente, que levará você a enxergar a verdade além das aparências.

Samuel Gomes
16 x 23 cm
272 páginas

DESCOMPLIQUE, SEJA LEVE

Um livro de mensagens para apoiar sua caminhada na aquisição de uma vida mais suave e rica de alegrias na convivência.

Wanderley Oliveira
16 x 23 cm
238 páginas

7 CAMINHOS PARA O AUTOAMOR

O tema central dessa obra é o autoamor que, na concepção dos educadores espirituais, tem na autoestima o campo elementar para seu desenvolvimento. O autoamor é algo inato, herança divina, enquanto a autoestima é o serviço laborioso e paciente de resgatar essa força interior, ao longo do caminho de volta à casa do Pai.

Wanderley Oliveira | Pai João de Angola
16 x 23 cm
272 páginas

A REDENÇÃO DE UM EXILADO

A obra traz informações sobre a formação da civilização, nos primórdios da Terra, que contou com a ajuda do exílio de milhões de espíritos mandados para cá para conquistar sua recuperação moral e auxiliar no desenvolvimento das raças e da civilização. É uma narrativa do Apóstolo Lucas, que foi um desses enviados, e que venceu suas dificuldades íntimas para seguir no trabalho orientado pelo Cristo.

Samuel Gomes | Lucas
16 x 23 cm
368 páginas

AMOROSIDADE - A CURA DA FERIDA DO ABANDONO

Uma das mais conhecidas prisões emocionais na atualidade é a dor do abandono, a sensação de desamparo. Essa lesão na alma responde por larga soma de aflições em todos os continentes do mundo. Não há quem não esteja carente de ser protegido e acolhido, amado e incentivado nas lutas de cada dia.

Wanderley Oliveira | Ermance Dufaux
16 x 23 cm
300 páginas

MEDIUNIDADE - A CURA DA FERIDA DA FRAGILIDADE

Ermance Dufaux vem tratando sobre as feridas evolutivas da humanidade. A ferida da fragilidade é um dos traços mais marcantes dos aprendizes da escola terrena. Uma acentuada desconexão com o patrimônio da fé e do autoamor, os verdadeiros poderes da alma.

Wanderley Oliveira | Ermance Dufaux
16 x 23 cm
235 páginas

CONECTE-SE A VOCÊ - O ENCONTRO DE UMA NOVA MENTALIDADE QUE TRANSFORMARÁ A SUA VIDA

Este livro vai te estimular na busca de quem você é verdadeiramente. Com leitura de fácil assimilação, ele é uma viagem a um país desconhecido que, pouco a pouco, revela características e peculiaridades que o ajudarão a encontrar novos caminhos. Para esta viagem, você deve estar conectado a sua essência. A partir daí, tudo que você fizer o levará ao encontro do propósito que Deus estabeleceu para sua vida espiritual.

Rodrigo Ferretti
16 x 23 cm
256 páginas

APOCALIPSE SEGUNDO A ESPIRITUALIDADE - O DESPERTAR DE UMA NOVA CONSCIÊNCIA

Num curso realizado em uma colônia do plano espiritual, o livro Apocalipse, de João Evangelista, é estudado de forma dinâmica e de fácil entendimento, desvendando a simbologia das figuras místicas sob o enfoque do autoconhecimento.

Samuel Gomes
16 x 23 cm
313 páginas

VIDAS PASSADAS E HOMOSSEXUALIDADE - CAMINHOS QUE LEVAM À HARMONIA

"Vidas Passadas e Homossexualidade" é, antes de tudo, um livro sobre o autoconhecimento. E, mais que uma obra que trada do uso prático da Terapia de Regressão às Vidas Passadas . Em um conjunto de casos, ricamente descritos, o leitor poderá compreender a relação de sua atual encarnação com aquelas que ele viveu em vidas passadas. O obra mostra que absolutamente tudo está interligado. Se o leitor não encontra respostas sobre as suas buscas psicológicas nesta vida, ele as encontrará conhecendo suas vidas passadas.
Samuel Gomes

Dra. Solange Cigagna
16 x 23 cm
364 páginas

SÉRIE CONSCIÊNCIA DESPERTA

SAIA DO CONTROLE - UM DIÁLOGO TERAPEUTICO E LIBERTADOR ENTRE A MENTE E A CONSCIÊNCIA

Agimos de forma instintiva por não saber observar os pensamentos e emoções que direcionam nossas ações de forma condicionada. Por meio de uma observação atenta e consciente, identificando o domínio da mente em nossas vidas, passamos a viver conscientes das forças internas que nos regem.

Rossano Sobrinho
16 x 23 cm
268 páginas

 ## SÉRIE CULTO NO LAR

VIBRAÇÕES DE PAZ EM FAMÍLIA

Quando a família se reúne para orar, ou mesmo um de seus componentes, o ambiente do lar melhora muito. As preces são emissões poderosas de energia que promovem a iluminação interior. A oração em família traz paz e fortalece, protege e ampara a cada um que se prepara para a jornada terrena rumo à superação de todos os desafios.

Wanderley Oliveira | Ermance Dufaux
16 x 23 cm
212 páginas

JESUS - A INSPIRAÇÃO DAS RELAÇÕES LUMINOSAS

Após o sucesso de "Emoções que curam", o espírito Ermance Dufaux retorna com um novo livro baseado nos ensinamentos do Cristo, destacando que o autoamor é a garantia mais sólida para a construção de relacionamentos luminosos.

Wanderley Oliveira | Ermance Dufaux
16 x 23 cm
304 páginas

REGENERAÇÃO - EM HARMONIA COM O PAI

Nos dias em que a Terra passa por transformações fundamentais, ampliando suas condições na direção de se tornar um mundo regenerado, é necessário desenvolvermos uma harmonia inabalável para aproveitar as lições que esses dias nos proporcionam por meio das nossas decisões e das nossas escolhas, [...].

Samuel Gomes | Diversos Espíritos
16 x 23 cm
223 páginas

PRECES ESPÍRITAS

Porque e como orar?
O modo como oramos influi no resultado de nossas preces?
Existe um jeito certo de fazer a oração?
Allan Kardec nos afirma que *"não há fórmula absoluta para a prece"*, mas o próprio Evangelho nos orienta que *"quando oramos, devemos entrar no nosso aposento interno do coração e, fechando a porta, busquemos Deus que habita em nós; e Ele, que vê nossa mais secreta realidade espiritual, nos amparará em todas as necessidades. Ao orarmos, evitemos as repetições de orações realizadas da boca para fora, como muitos que pensam que por muito falarem serão ouvidos. Oremos a Deus em espírito e verdade porque nosso Pai sabe o que nos é necessário, antes mesmo de pedirmos"*.
(Mateus 6:5 a 8)

Allan Kardec
16 x 23 cm
145 páginas

O EVANGELHO SEGUNDO O ESPIRITISMO

O Evangelho de Jesus Cristo foi levado ao mundo por meio de seus discípulos, logo após o desencarne do Mestre na cruz. Mas o Evangelho de Cristo foi, muitas vezes, alterado e deturpado através de inúmeras edições e traduções do chamado Novo Testamento. Agora, a Doutrina Espírita, por meio de um trabalho sob a óptica dos espíritos e de Allan Kardec, vem jogar luz sobre a verdadeira face de Cristo e seus ensinamentos de perdão, caridade e amor.

Allan Kardec
16 x 23 cm
431 páginas

SÉRIE DESAFIOS DA CONVIVÊNCIA

QUEM SABE PODE MUITO. QUEM AMA PODE MAIS

A lição central desta obra é mostrar que o conhecimento nem sempre é suficiente para garantir a presença do amor nas relações. "Estar informado é a primeira etapa. Ser transformado é a etapa da maioridade." - Eurípedes Barsanulfo.

Wanderley Oliveira | José Mário
16 x 23 cm
312 páginas

QUEM PERDOA LIBERTA - ROMPER OS FIOS DA MÁGOA ATRAVÉS DA MISERICÓRDIA

Continuação do livro "QUEM SABE PODE MUITO. QUEM AMA PODE MAIS" dando sequência à trilogia "Desafios da Convivência".

Wanderley Oliveira | José Mário
16 x 23 cm
320 páginas

SERVIDORES DA LUZ NA TRANSIÇÃO PLANETÁRIA

Nesta obra recebemos o convite para nos integrar nas fileiras dos Servidores da Luz, atuando de forma consciente diante dos desafios da transição planetária. Brilhante fechamento da trilogia.

Wanderley Oliveira | José Mário
14x21 cm
298 páginas

SÉRIE ESPÍRITOS DO BEM

GUARDIÕES DO CARMA - A MISSÃO DOS EXUS NA TERRA

Pai João de Angola quebra com o preconceito criado em torno dos exus e mostra que a missão deles na Terra vai além do que conhecemos. Na verdade, eles atuam como guardiões do carma, nos ajudando nos principais aspectos de nossas vidas.

Wanderley Oliveira | Pai João de Angola
16 x 23 cm
288 páginas

GUARDIÃS DO AMOR - A MISSÃO DAS POMBAGIRAS NA TERRA

"São um exemplo de amor incondicional e de grandeza da alma. São mães dos deserdados e angustiados. São educadoras e desenvolvedoras do sagrado feminino, e nesse aspecto são capazes de ampliar, nos homens e nas mulheres, muitas conquistas que abrem portas para um mundo mais humanizado, [...]".

Wanderley Oliveira | Pai João de Angola
16 x 23 cm
232 páginas

GUARDIÕES DA VERDADE - NADA FICARÁ OCULTO

Neste momento de batalhas decisivas rumo aos tempos da regeneração, esta obra é um alerta que destaca a importância da autenticidade nas relações humanas e da conduta ética como bases para uma forma transparente de viver. A partir de agora, nada ficará oculto, pois a Verdade é o único caminho que aguarda a humanidade para diluir o mal e se estabelecer na realidade que rege o universo.

Wanderley Oliveira | Pai João de Angola
16 x 23 cm
236 páginas

SÉRIE ESTUDOS DOUTRINÁRIOS

ATITUDE DE AMOR

Opúsculo contendo a palestra "Atitude de Amor" de Bezerra de Menezes, o debate com Eurípedes Barsanulfo sobre o período da maioridade do Espiritismo e as orientações sobre o "movimento atitude de amor". Por uma efetiva renovação pela educação moral.

Wanderley Oliveira | Ermance Dufaux e Cícero Pereira
14 x 21 cm
94 páginas

SEARA BENDITA

Um convite à reflexão sobre a urgência de novas posturas e conceitos. As mudanças a adotar em favor da construção de um movimento social capaz de cooperar com eficácia na espiritualização da humanidade.

Wanderley Oliveira e Maria José Costa | Diversos Espíritos
14 x 21 cm
284 páginas

Gratuito em nosso site, somente em:

NOTÍCIAS DE CHICO

"Nesta obra, Chico Xavier afirma com seu otimismo natural que a Terra caminha para uma regeneração de acordo com os projetos de Jesus, a caracterizar-se pela tolerância humana recíproca e que precisamos fazer a nossa parte no concerto projetado pelo Orientador Maior, principalmente porque ainda não assumimos responsabilidades mais expressivas na sustentação das propostas elevadas que dizem respeito ao futuro do nosso planeta."

Samuel Gomes | Chico Xavier
16 x 23 cm
181 páginas

SÉRIE FAMÍLIA E ESPIRITUALIDADE

UM JOVEM OBSESSOR - A FORÇA DO AMOR NA REDENÇÃO ESPIRITUAL

Um jovem conta sua história, compartilhando seus problemas após a morte, falando sobre relacionamentos, sexo, drogas e, sobretudo, da força do amor na redenção espiritual.

Adriana Machado | Jefferson
16 x 23 cm
392 páginas

UM JOVEM MÉDIUM - CORAGEM E SUPERAÇÃO PELA FORÇA DA FÉ

A mediunidade é um canal de acesso às questões de vidas passadas que ainda precisam ser resolvidas. O livro conta a história do jovem Alexandre que, com sua mediunidade, se torna o intermediário entre as histórias de vidas passadas daqueles que o rodeiam tanto no plano físico quanto no plano espiritual. Surpresos com o dom mediúnico do menino, os pais, de formação Católica, se veem às voltas com as questões espirituais que o filho querido traz para o seio da família.

Adriana Machado | Ezequiel
16 x 23 cm
365 páginas

RECONSTRUA SUA FAMÍLIA - CONSIDERAÇÕES PARA O PÓS-PANDEMIA

Vivemos dias de definição, onde nada mais será como antes. Necessário redefinir e ampliar o conceito de família. Isso pode evitar muitos conflitos nas interações pessoais. O autoconhecimento seguido de reforma íntima será o único caminho para transformação do ser humano, das famílias, das sociedades e da humanidade.

Dr. Américo Canhoto
16 x 23 cm
237 páginas

 ## SÉRIE HARMONIA INTERIOR

LAÇOS DE AFETO - CAMINHOS DO AMOR NA CONVIVÊNCIA

Uma abordagem sobre a importância do afeto em nossos relacionamentos para o crescimento espiritual. São textos baseados no dia a dia de nossas experiências. Um estímulo ao aprendizado mais proveitoso e harmonioso na convivência humana.

Wanderley Oliveira | Ermance Dufaux
16 x 23 cm
312 páginas

 [ESPANHOL]

MEREÇA SER FELIZ - SUPERANDO AS ILUSÕES DO ORGULHO

Um estudo psicológico sobre o orgulho e sua influência em nossa caminhada espiritual. Ermance Dufaux considera essa doença moral como um dos mais fortes obstáculos à nossa felicidade, porque nos leva à ilusão.

Wanderley Oliveira | Ermance Dufaux
16 x 23 cm
296 páginas

 [ESPANHOL]

REFORMA ÍNTIMA SEM MARTÍRIO - AUTOTRANSFORMAÇÃO COM LEVEZA E ESPERANÇA

As ações em favor do aperfeiçoamento espiritual dependem de uma relação pacífica com nossas imperfeições. Como gerenciar a vida íntima sem adicionar o sofrimento e sem entrar em conflito consigo mesmo?

Wanderley Oliveira | Ermance Dufaux
16 x 23 cm
288 páginas

ebook | ESPANHOL | INGLÊS

PRAZER DE VIVER - CONQUISTA DE QUEM CULTIVA A FÉ E A ESPERANÇA

Neste livro, Ermance Dufaux, com seus ensinos, nos auxilia a pensar caminhos para alcançar nossas metas existenciais, a fim de que as nossas reencarnações sejam melhor vividas e aproveitadas.

Wanderley Oliveira | Ermance Dufaux
16 x 23 cm
248 páginas

ebook

ESCUTANDO SENTIMENTOS - A ATITUDE DE AMAR-NOS COMO MERECEMOS

Ermance afirma que temos dado passos importantes no amor ao próximo, mas nem sempre sabemos como cuidar de nós, tratando-nos com culpas, medos e outros sentimentos que não colaboram para nossa felicidade.

Wanderley Oliveira | Ermance Dufaux
16 x 23 cm
256 páginas

ebook | ESPANHOL

DIFERENÇAS NÃO SÃO DEFEITOS - A RIQUEZA DA DIVERSIDADE NAS RELAÇÕES HUMANAS

Ninguém será exatamente como gostaríamos que fosse. Quando aprendemos a conviver bem com os diferentes e suas diferenças, a vida fica bem mais leve. Aprenda esse grande SEGREDO e conquiste sua liberdade pessoal.

Wanderley Oliveira | Ermance Dufaux
16 x 23 cm
248 páginas

ebook

EMOÇÕES QUE CURAM - CULPA, RAIVA E MEDO COMO FORÇAS DE LIBERTAÇÃO

Um convite para aceitarmos as emoções como forma terapêutica de viver, sintonizando o pensamento com a realidade e com o desenvolvimento da autoaceitação.

Wanderley Oliveira | Ermance Dufaux
16 x 23 cm
272 páginas

SÉRIE REFLEXÕES DIÁRIAS

PARA SENTIR DEUS

Nos momentos atuais da humanidade sentimos extrema necessidade da presença de Deus. Ermance Dufaux resgata, para cada um, múltiplas formas de contato com Ele, de como senti-Lo em nossas vidas, nas circunstâncias que nos cercam e nos semelhantes que dividem conosco a jornada reencarnatória. Ver, ouvir e sentir Deus em tudo e em todos.

Wanderley Oliveira | Ermance Dufaux
11 x 15,5 cm
133 páginas
Somente ebook

LIÇÕES PARA O AUTOAMOR

Mensagens de estímulo na conquista do perdão, da aceitação e do amor a si mesmo. Um convite à maravilhosa jornada do autoconhecimento que nos conduzirá a tomar posse de nossa herança divina.

Wanderley Oliveira | Ermance Dufaux
11 x 15,5 cm
128 páginas
Somente ebook

RECEITAS PARA A ALMA

Mensagens de conforto e esperança, com pequenos lembretes sobre a aplicação do Evangelho para o dia a dia. Um conjunto de propostas que se constituem em verdadeiros remédios para nossas almas.

Wanderley Oliveira | Ermance Dufaux
11 x 15,5 cm
146 páginas
Somente ebook

SÉRIE REGENERAÇÃO

FUTURO ESPIRITUAL DA TERRA

As necessidades, as estruturas perispirituais e neuropsíquicas, o trabalho, o tempo, as características sociais e os próprios recursos de natureza material se tornarão bem mais sutis. O futuro já está em construção e André Luiz, através da psicografia de Samuel Gomes, conta como será o Futuro Espiritual da Terra.

Samuel Gomes | André Luiz
16 x 23 cm
344 páginas

XEQUE-MATE NAS SOMBRAS - A VITÓRIA DA LUZ

André Luiz traz notícias das atividades que as colônias espirituais, ao redor da Terra, estão realizando para resgatar os espíritos que se encontram perdidos nas trevas e conduzi-los a passar por um filtro de valores, seja para receberem recursos visando a melhorar suas qualidades morais – se tiverem condições de continuar no orbe – seja para encaminhá-los ao degredo planetário.

Samuel Gomes | André Luiz
16 x 23 cm
212 páginas

A DECISÃO - CRISTOS PLANETÁRIOS DEFINEM O FUTURO ESPIRITUAL DA TERRA

"Os Cristos Planetários do Sistema Solar e de outros sistemas se encontram para decidir sobre o futuro da Terra na sua fase de regeneração. Numa reunião que pode ser considerada, na atualidade, uma das mais importantes para a humanidade terrestre, Jesus faz um pronunciamento direto sobre as diretrizes estabelecidas por Ele para este período."

Samuel Gomes | André Luiz e Chico Xavier
16 x 23 cm
210 páginas

SÉRIE ROMANCE MEDIÚNICO

OS DRAGÕES - O DIAMANTE NO LODO NÃO DEIXA DE SER DIAMANTE

Um relato leve e comovente sobre nossos vínculos com os grupos de espíritos que integram as organizações do mal no submundo astral.

Wanderley Oliveira | Maria Modesto Cravo
16 x 23cm
522 páginas

LÍRIOS DE ESPERANÇA

Ermance Dufaux alerta os espíritas e lidadores do bem de um modo geral, para as responsabilidades urgentes da renovação interior e da prática do amor neste momento de transição evolutiva, através de novos modelos de relação, como orientam os benfeitores espirituais.

Wanderley Oliveira | Ermance Dufaux
16 x 23 cm
508 páginas

AMOR ALÉM DE TUDO

Regras para seguir e rótulos para sustentar. Até quando viveremos sob o peso dessas ilusões? Nessa obra reveladora, Dr. Inácio Ferreira nos convida a conhecer a verdade acima das aparências. Um novo caminho para aqueles que buscam respeito às diferenças e o AMOR ALÉM DE TUDO.

Wanderley Oliveira | Inácio Ferreira
16 x 23 cm
252 páginas

ABRAÇO DE PAI JOÃO

Pai João de Angola retorna com conceitos simples e práticos, sobre os problemas gerados pela carência afetiva. Um romance com casos repletos de lutas, desafios e superações. Esperança para que permaneçamos no processo de resgate das potências divinas de nosso espírito.

Wanderley Oliveira | Pai João de Angola
16 x 23 cm
224 páginas

UM ENCONTRO COM PAI JOÃO

A obra também fala do valor de uma terapia, da necessidade do autoconhecimento, dos tipos de casamentos programados antes do reencarne, dos processos obsessivos de variados graus e do amparo de Deus para nossas vidas por meio dos amigos espirituais e seus trabalhadores encarnados. Narra também em detalhes a dinâmica das atividades socorristas do centro espírita.

Wanderley Oliveira | Pai João de Angola
16 x 23 cm
220 páginas

O LADO OCULTO DA TRANSIÇÃO PLANETÁRIA

O espírito Maria Modesto Cravo aborda os bastidores da transição planetária com casos conectados ao astral da Terra.

Wanderley Oliveira | Maria Modesto Cravo
16 x 23 cm
288 páginas

ebook

PERDÃO - A CHAVE PARA A LIBERDADE

Neste romance revelador, conhecemos Onofre, um pai que enfrenta a perda de seu único filho com apenas oito anos de idade. Diante do luto e diversas frustrações, um processo desafiador de autoconhecimento o convida a enxergar a vida com um novo olhar. Será essa a chave para a sua libertação?

Adriana Machado | Ezequiel
14 x 21 cm
288 páginas

ebook

1/3 DA VIDA - ENQUANTO O CORPO DORME A ALMA DESPERTA

A atividade noturna fora da matéria representa um terço da vida no corpo físico, e é considerada por nós como o período mais rico em espiritualidade, oportunidade e esperança.

Wanderley Oliveira | Ermance Dufaux
16 x 23 cm
279 páginas

ebook

NEM TUDO É CARMA, MAS TUDO É ESCOLHA

Somos todos agentes ativos das experiências que vivenciamos e não há injustiças ou acasos em cada um dos aprendizados.

Adriana Machado | Ezequiel
16 x 23 cm
536 páginas

ebook

RETRATOS DA VIDA - AS CONSEQUÊNCIAS DO DESCOMPROMETIMENTO AFETIVO

Túlio costumava abstrair-se da realidade, sempre se imaginando pintando um quadro; mais especificamente pintando o rosto de uma mulher.
Vivendo com Dora um casamento já frio e distante, uma terrível e insuportável dor se abate sobre sua vida. A dor era tanta que Túlio precisou buscar dentro de sua alma uma resposta para todas as suas angústias..

Clotilde Fascioni
16 x 23 cm
175 páginas

O PREÇO DE UM PERDÃO - AS VIDAS DE DANIEL

Daniel se apaixona perdidamente e, por várias vidas, é capaz de fazer qualquer coisa para alcançar o objetivo de concretizar o seu amor. Mas suas atitudes, por mais verdadeiras que sejam, o afastam cada vez mais desse objetivo. É quando a vida o para.

André Figueiredo e Fernanda Sicuro | Espírito Bruno
16 x 23 cm
333 páginas

LIVROS QUE TRANSFORMAM VIDAS!

Acompanhe nossas redes sociais

(lançamentos, conteúdos e promoções)

- @editoradufaux
- facebook.com/EditoraDufaux
- youtube.com/user/EditoraDufaux

Conheça nosso catálogo e mais sobre nossa editora. Acesse os nossos sites

Loja Virtual

- www.dufaux.com.br

eBooks, conteúdos gratuitos e muito mais

- www.editoradufaux.com.br

Entre em contato com a gente.

Use os nossos canais de atendimento

- (31) 99193-2230
- (31) 3347-1531
- www.dufaux.com.br/contato
- sac@editoradufaux.com.br
- Rua Contria, 759 | Alto Barroca | CEP 30431-028 | Belo Horizonte | MG